THYL ULENSPIEGEL

LA REVOLTE DES GUEUX

VANDERSTEEN

EDITIONS DU LOMBARD

ISBN.2.8036.0913.4
Imprimé en Belgique par Proost sprl.

Dépôt légal: décembre 1991

QUI EST THYL ?

Les plus anciens récits parlant de Thyl, ont vu le jour en Allemagne au 14ème siècle. Le héros s'appelait Till Eulenspiegel et était un joyeux luron, un simple paysan qui ne se lassait jamais de ridiculiser les nobles et les ecclésiastiques ou tout autre personnage important rencontré au cours de ses nombreuses pérégrinations.

Les plus anciens fragments de récit ont été retrouvés dans un manuscrit datant de 1488. Mais ce n'est qu'en 1515, après qu'un nombre important de farces de Thyl aient été rassemblées dans un livre populaire allemand, que ses histoires trouvèrent un écho dans d'autres pays d'Europe. La première adaptation néerlandaise, sous forme de livre, date de 1519 et fut éditée à Anvers.

Ulenspiegel continua à vivre dans la tradition orale populaire, mais aussi dans d'autres domaines. En 1854, l'artiste Félicien Rops fondait à Bruxelles le «Uylenspiegel», un hebdomadaire satirique et anti-clérical, dont Charles De Coster était l'un des rédacteurs.

Charles De Coster, né à Munich, en 1827, de père flamand et de mère wallonne, avait six ans lorsque la famille vint s'installer à Bruxelles. De 1850 à 1855, il étudia à l'Université de Bruxelles, choisissant d'abord le droit et ensuite les lettres. Ses études ne furent pas couronnées par un diplôme, mais elles lui permirent de développer un talent inné pour l'écriture, et de rencontrer un grand nombre d'artistes.

Il tenta de gagner sa vie comme journaliste et écrivain, ce qui n'était guère facile à l'époque. La littérature populaire flamande l'intéressait tout particulièrement ainsi que l'histoire du Moyen-Age de nos régions. Il était surtout passionné par la période des guerres de religion.

Son premier livre, intitulé «Légendes flamandes», parut en 1857 et était écrit en une sorte de français médiéval, de son invention. C'est à cette époque qu'a dû naître chez lui, le projet de réunir toutes les légendes de Thyl Ulenspiegel en une épopée. Il se mit à rassembler des documents historiques concernant le 16ème siècle, et parcourut la Flandre en tous sens.

Dans les cercles littéraires, le romantisme était à son apogée, et De Coster avait une admiration profonde pour entre autres Victor Hugo, Balzac et George Sand. Il devait sans nul doute connaître aussi H. Conscience qui, en 1860, avait déjà écrit plusieurs romans historiques, ayant remporté un vif succès en Flandre. Comme libre-penseur, il se sentait très proche intellectuellement des Gueux et de leur révolte contre le joug espagnol d'antan. Il décida donc de faire de Thyl un Gueux flamand.

Pour De Coster, Thyl était né à Damme près de Bruges en 1527, l'année de la naissance du futur roi d'Espagne, Philippe II. (Exactement 300 ans avant l'année où Charles De Coster lui-même vit le jour!)

Quant à Nele, la compagne de Thyl, et Lamme Goedzak, leur joyeux camarade, ils symbolisent pour De Coster, le cœur aimant et l'estomac bourguignon de la Flandre.

De Coster travailla plusieurs années à son livre, dont un premier fragment paraissait dès 1859, dans sa revue, «Uylenspiegel». Alors qu'il travaillait aux Archives Nationa-les, il eut l'occasion de compulser de précieux documents. En 1867, paraissait enfin: «La légende et les aventures héroïques, joyeuses et glorieuses d'Ulenspiegel et de Lamme Goedzak au pays de Flandres et d'ailleurs» généralement abrégée en «La Légende d'Ulenspiegel».

Le livre est incontestablement un chef-d'œuvre, une magistrale épopée, écrite en un français archaïque et chaleureux, truffé de savoureuses expressions flamandes, en un mot, un langage qui fait corps avec le sujet.

D'autres artistes se sont laissé séduire par cette ode vibrante à la liberté. Des musiciens comme Richard Strauss s'en sont inspirés, et plus tard c'est le cinéma qui a mis en images les aventures de Thyl. En 1956, Gérard Philipe a campé dans l'un de ses plus beaux rôles, un Thyl inoubliable, flanqué d'un Jean Carmet, alias Lamme Goedzak, inénarrable. Mais c'est aux cinéastes russes Alexandre Alov et Vladimir Naoumov que l'on doit à l'écran, la version la plus fidèle de Thyl.

Et enfin, Thyl est aussi devenu un héros de bandes dessinées. Les auteurs et les dessinateurs qui se sont inspirés de sa légende ont toujours pris de grandes libertés avec le récit de De Coster. Et Willy Vandersteen n'a pas fait exception à cette règle. Son «Thyl Ulenspiegel: La Révolte des Gueux» paru pour la première fois en 1951, témoigne d'une approche très personnelle, tout en rendant fidèlement l'esprit du roman, dont il s'est inspiré. Sa version est incontestablement la meilleure adaptation de Thyl, existant sur le marché de la bédé.

En 1974, les cinéastes soviétiques Alexandre Alov et Vladimir Naoumov réalisèrent la version cinématographique la plus fidèle à l'esprit populaire du roman.

WILLY VANDERSTEEN

Le créateur des aventures de Bob et Bobette, petits héros de renommée internationale, a disparu le 28 août 1990, laissant derrière lui, une œuvre étonnante tant par la qualité que par la quantité. Hergé l'avait surnommé le « Breughel de la bande dessinée ». Avec ses récits typiquement flamands, Willy Vandersteen a su conquérir le cœur des lecteurs du monde entier. Rien d'étonnant donc à ce que ce conteur talentueux et jovial se soit à son tour passionné pour le personnage de Thyl Ulenspiegel. Thyl n'était-il pas le symbole de la résistance flamande contre l'oppresseur qui étouffait toute aspiration à la liberté ?

Willy Vandersteen a vu le jour dans un quartier populaire d'Anvers. Ses parents étaient modestes et l'univers du jeune Willy était borné par les maisons grises de la rue qu'il habitait. Mais dès le plus jeune âge, ses copains de la rue formaient un auditoire attentif pour les histoires fabuleuses qu'il racontait, tout en dessinant ses héros, à la craie, sur le trottoir. Il aimait faire des gamineries, et l'école l'ennuyait. Son rêve était de devenir ornemaniste ou sculpteur, comme son père. « Nous manquions de tant de choses, explique-t-il. Il était normal que nous cherchions des compensations. Notre imagination nous aidait à oublier la pauvreté de la vie quotidienne. Ce n'était pas la misère, certes, mais tout était néanmoins gris et morose. C'est sans doute pour cette raison que cette époque a donné tant de conteurs et de dessinateurs. »

A l'âge de 13 ans, il s'inscrivit aux cours du soir de l'Académie des Beaux-Arts d'Anvers, tout en travaillant le jour dans l'atelier de son père. C'est la lecture d'un article concernant la bande dessinée, dans une revue américaine, qui l'incita à devenir auteur-dessinateur de bédés. Mais la deuxième guerre mondiale allait mettre un frein à ses ambitions.

Durant cette époque, il a cependant réalisé quelques séries pour des quotidiens et des magazines pour la jeunesse tels que 'Bravo'. Après la libération, Willy se jette corps et âme dans le travail. Il a une imagination débordante et une foule de projets. « Je dessinais facilement, c'était le crayon qui faisait le travail ! »

En 1945, paraissaient dans le journal 'De Nieuwe Standaard', les premières aventures de Rikki et Bobette, qui étaient les précurseurs des très célèbres Bob et Bobette.

En 1948, le tout nouveau 'Journal de Tintin', qui remportait un très grand succès en Wallonie, décida d'éditer aussi une version néerlandaise et les promoteurs s'adressèrent à Willy Vandersteen pour rédiger la partie rédactionnelle. La perspective de pouvoir travailler avec Hergé pour qui il avait une profonde admiration, incita Vandersteen à accepter cet emploi à responsabilités. Grâce à la collaboration avec Hergé, le dessinateur améliora sensiblement sa technique de dessin. Il avouait d'ailleurs : « Jusqu'alors, je n'avais jamais réalisé que dans mes dessins je commettais des erreurs de proportions ou de perspective ! De plus, Hergé trouvait mon style trop populaire. Il a

Willy VANDERSTEEN: "Pour les Flamands, le XVIe siècle fut un siècle important."

fallu que je m'adapte. Mais je reconnais que je lui dois beaucoup. » L'influence d'Hergé a fortement contribué à la création de huit albums de Bob et Bobette, que l'on considère parmi les meilleurs de la longue série. « Le Fantôme espagnol » est reconnu comme l'un des classiques du huitième art.

A côté de ses Bob et Bobette, l'auteur-dessinateur publiait aussi des séries réalistes, où l'aventure prenait le pas sur l'imagination. C'est ainsi qu'en 1951, il sort les premières aventures de Thyl Ulenspiegel, inspirées de l'œuvre de Charles De Coster. « Le 16ème siècle me passionne, reconnaît-il. C'est une époque importante pour les Flamands, même si ce siècle a été marqué par la barbarie et la misère. »

Willy Vandersteen n'était pas le seul à s'intéresser à l'œuvre de De Coster. Dans les années '30, l'écrivain et peintre flamand Félix Timmermans avait réalisé une série de dessins en cases avec texte explicatif. Et le caricaturiste Georges Van Raemdonck en avait publié une version dessinée. En 1945, Ray Goossens s'était aussi basé sur l'œuvre de De Coster pour une série de nouvelles humoristiques, dont Lamme Goedzak était le héros. Tout semblerait indiquer que vers le début des années cinquante, la plupart des journaux et magazines flamands souhaitaient publier leur propre version de Thyl Ulenspiegel.

Le dessinateur anglais Gray Groucher, peu soucieux d'anachronismes, consacra une série d'histoires drôles aux aventures de Thyl et de Lamme.

L'une des meilleures de l'époque est certai-

nement celle de Bob De Moor : « Les nouvelles aventures de Thyl Ulenspiegel. » C'est une satire cinglante, empreinte de l'humour particulier aux 'fifties'. D'autres dessinateurs, tels que François Craenhals, se sont aussi attaqués au sujet.

Bien que la version de Willy Vandersteen ait été imprimée en deux couleurs seulement, c'est une œuvre écrite et dessinée avec un enthousiasme communicatif, l'une des plus réussies dans le genre et l'esprit du roman populaire.

En ces temps d'incertitude et de désordres, où la Flandre était gouvernée par l'Espagne, et où l'oppression était monnaie courante, la révolte grondait. Mais dès qu'elle osait se manifester, elle était aussitôt écrasée durement. Les courtes trêves donnaient alors lieu à des explosions de liesses populaires et brueghéliennes. Pour un écrivain inventif, cette époque est une source d'inspiration particulièrement fertile. Il est peu probable que les faits se soient déroulés exactement tels que Vandersteen les décrit. Même si Thyl a vécu vers les années 1570, on admettra difficilement qu'il ait pu participer en 1626 à la fondation de la Nouvelle Amsterdam (actuellement New York), comme il le relate dans « Fort Amsterdam », le deuxième épisode des aventures de Thyl. Mais après tout, on ne sait jamais... Une chose est cependant certaine, c'est que Willy Vandersteen est parvenu, mieux que quiconque, à faire accepter et à rendre crédible la vision personnelle qu'il avait de cette époque.

Notons aussi que dans cette nouvelle édition, ce sont les planches originales des légendaires et joyeuses aventures de Thyl Ulenspiegel qui ont été soigneusement restaurées. Sans altérer le moins du monde l'œuvre originale de l'auteur, les planches ont subi une cure de rajeunissement, tandis qu'Hannelore Vantieghem réalisait une nouvelle mise en couleur.

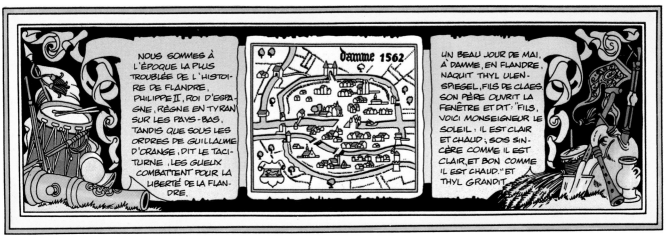

NOUS SOMMES À L'ÉPOQUE LA PLUS TROUBLÉE DE L'HISTOIRE DE FLANDRE, PHILIPPE II, ROI D'ESPAGNE, RÈGNE EN TYRAN SUR LES PAYS-BAS, TANDIS QUE SOUS LES ORDRES DE GUILLAUME D'ORANGE, DIT LE TACITURNE, LES GUEUX COMBATTENT POUR LA LIBERTÉ DE LA FLANDRE.

Damme 1562

UN BEAU JOUR DE MAI, À DAMME, EN FLANDRE, NAQUIT THYL ULENSPIEGEL, FILS DE CLAES. SON PÈRE OUVRIT LA FENÊTRE ET DIT : "FILS, VOICI MONSEIGNEUR LE SOLEIL : IL EST CLAIR ET CHAUD ; SOIS SINCÈRE COMME IL EST CLAIR, ET BON COMME IL EST CHAUD." ET THYL GRANDIT.

Le long du canal qui va de Bruges à Damme...

Holà, mes amis ! Voudriez-vous me conduire sur l'autre rive? Cela m'épargnerait un grand détour.

Tiens, voici Nele, la petite-fille de Catheline, la veuve !

On prétend que Catheline est une sorcière !

Passe ton chemin, fille de sorcière ! Tu serais capable de nous jeter un sort !

Et trouvant sans doute que la petite fille n'obéit pas assez vite, les deux garnements se mettent à lui lancer des pierres et des touffes d'herbe.

Apeurée, la pauvre Nele s'enfuit dans la direction de Damme, poursuivie par ses bourreaux.

Dites donc, là-bas ! Vous n'avez pas honte ? Laissez donc cette jeune fille tranquille !

Thyl Ulenspiegel ! Lâche-moi, ou je me plaindrai à mon père, le bailli ! De quoi te mêles-tu ?

Tu vas le savoir tout de suite, gredin !

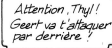

Thyl, le fils du charbonnier est plus fort que Floris. Un solide coup de poing expédie le garnement à terre.

Attention, Thyl! Geert va t'attaquer par derrière!

En effet, Geert, l'ami de Floris, se jette sur le dos de notre héros. Mais d'un rude coup de reins, Thyl fait passer son ennemi par-dessus son épaule, et le précipite dans l'abreuvoir des chevaux.

Thyl Ulenspiegel, tu me payeras cela! Quant à toi, fille de sorcière, mon père te fera brûler vive!

Il en serait bien capable, mais il n'aura pas l'occasion de le faire! Le Prince d'Orange va venir nous délivrer, et alors, tous les amis des Espagnols n'auront qu'à bien se tenir!

Nele remercie son ami Ulenspiegel. Puis tristement, elle se dirige vers la maison de Catheline, sa grand-mère, qui habite à l'extérieur de la ville.

Eh bien, petite Nele, que se passe-t-il? Pourquoi pleures-tu?

Oh, grand-mère... Floris, Geert... et beaucoup d'autres... prétendent que tu es une sorcière... ils disent que la nuit, tu te rends au Sabbat...

Ce sont là des mensonges, tu le sais bien, ma petite Nele. Je connais la puissance des herbes et des poudres; c'est pour cela qu'ils me croient sorcière...

LA VIEILLE CATHELINE CONSOLE L'ENFANT, ET ELLE LA MET AU LIT. PUIS LORSQUE LA PETITE FILLE DORT PROFONDÉMENT, VERS LE MILIEU DE LA NUIT, CATHELINE, ENVELOPPÉE D'UN GRAND MANTEAU, QUITTE LA MAISON.

Chaque jour, on bavarde davantage. Il va falloir me montrer encore plus prudente....

La vieille Catheline gagne le canal et longe la berge, jusqu'à ce qu'elle arrive à hauteur du chaland "La Sirène d'Or" qui s'y trouve amarré.

Par trois fois, elle lance le cri du hibou. Quelques instants plus tard, un homme sort de la cale et paraît sur le pont du bateau.

C'était le cri de ralliement des Gueux... Dites le mot de passe !

Hardi d'Orange ! Vivent les gueux !

Ah , c'est vous Catheline ? A présent , je vous reconnais... Montez donc à bord...

Chaque jour le danger augmente, Hans... Mes excursions nocturnes et mes connaissances font marcher les langues !

Si le bailli venait à savoir que vous aidez les Gueux , vous finiriez sur le bûcher, ma pauvre Catheline . Mais courage , il y a du nouveau ...

Le Prince d'Orange recrute une armée qui sera composée de Gueux et de lansquenets , et qui libérera les Pays-Bas du joug de l'Espagne maudite ... Je transporte dans mon chaland la quote-part des villes flamandes dans cette entreprise ...

Je suis chargé de porter cet or à Sluis ; malheureusement, on m'a repéré. J'aimerais pouvoir déposer cette fortune, pendant quelque temps, chez l'un des nôtres ...

Voici le trésor : douze sacs remplis de beaux Carolus sonnants...

C'est entendu, Hans. Demain, à l'aube, je t'enverrai une charrette, fermée. Je cacherai les Carolus chez moi, où ils attendront que tu viennes les reprendre...

A peine Catheline s'est-elle éloignée que le bailli de Damme, escorté de plusieurs gardes espagnols, se dirige à son tour vers le canal...

Etes-vous sûr de ce que vous avancez, bailli ?

Tout à fait sûr, Capitaine . Mes espions surveillent ce batelier depuis longtemps ...

Cependant, le jeune Thyl, dont la famille est pauvre et qui, pour en améliorer l'ordinaire, vient braconner pendant la nuit au bord du canal, a entendu les paroles du bailli...

7

Thyl descend la berge en courant, devançant le bailli et son escorte sans toutefois se faire voir, et saute sur le pont de "la Sirène d'Or"...

Batelier, le bailli et des gardes espagnols sont en route pour venir vous arrêter...

Mais qui es-tu donc, toi ?

Thyl, Fils de Claes, le charbonnier de Damme... La devise de mon père est "D'Orange libre !"...

Bon. Va vite dans la cale... Le septième tonneau à gauche contient douze sacs pleins de Carolus... Nous allons les descendre dans ma chaloupe qui se trouve près du gaillard d'avant...

Cette somme appartient au Prince d'Orange, et doit être sauvée coûte que coûte !

Déjà sur les berges apparaissent le bailli et les gardes espagnols ; ils approchent du chaland à grands pas...

Vite, traverse le canal... En amont tu trouveras un chenal, prends-le et attends-moi un peu plus loin. Je m'occupe du bailli puis je te rejoins. S'il devait m'arriver quelque chose, porte les sacs à ton père et préviens la vieille Catheline...

J'aperçois le batelier sur le gaillard d'arrière... Il semble nous attendre... Peut-être est-il armé. Faites attention!

Mais Hans ne le laisse pas longtemps dans l'incertitude. Il ouvre le feu...

Lâchement, le bailli court se mettre à l'abri derrière un arbre, tandis qu'un des gardes espagnols s'écroule. Aussitôt, ses compagnons épaulent et tirent...

Le gamin doit être suffisamment loin maintenant... Un dernier coup de feu et je le rejoins...

En effet, Thyl a gagné le chenal. L'oreille tendue, il écoute le bruit de la fusillade... Soudain, un cri déchirant retentit, le glaçant jusqu'aux moelles...

Au moment où le batelier sautait par-dessus bord, l'un des Espagnols a tiré...

 Hans est tombé à la renverse dans le canal. En vain les Espagnols attendent-ils de le voir reparaître à la surface...

  Le batelier est mort, bailli. Nous allons confisquer la péniche, et notre tâche sera terminée.

Pas encore, Capitaine. Il devait y avoir, à bord de ce bateau, de l'or destiné à la formation de l'armée du Prince d' Orange...

 Nous n'avons rien trouvé... Quelqu'un aurait-il enlevé cette Fortune à notre nez et à notre barbe?...

Sans doute... D'ailleurs, voyez, il n'y a plus de barque à la poupe de la péniche...

 Que vos hommes effectuent des patrouilles toute la nuit le long de la digue, et dans les marais. Si l'on découvre quelque chose de suspect, que l'on m'avertisse!

 Cependant Thyl, ayant caché les sacs dans un arbre creux, pousse la barque qui part à la dérive. Puis il rentre chez lui, où ses parents, Soetkin et Claes, l'attendent très inquiets...

 Mon Dieu, Thyl, qu'est-il arrivé?

 Le jeune garçon raconte à ses parents ce qu'il a vu et entendu...

Si le bailli apprend cela, nous sommes perdus!

 Soetkin je pars avec Thyl chercher les sacs d'or... La liberté de notre peuple en dépend...

 En plusieurs voyages, le père et le fils transportent les douze sacs de Carolus dans la maison du charbonnier...

 Au nom du ciel, que comptes-tu faire, Claes?

Enterrer les sacs dans le jardin et avertir la vieille Catheline

 Tonnerre! J'ai oublié mon bonnet au pied de l'arbre creux... Il pourrait nous trahir si on le découvre. Thyl, va le chercher...

 Mais une patrouille circule au bord du canal, et Thyl est obligé de ramper pour s'approcher de l'arbre.

 Il y arrive et va saisir le bonnet, quand quelque chose siffle à ses oreilles... Une dague vient se planter dans l'arbre, juste au-dessus de son épaule...

Caramba! Tu l'as manqué... il s'enfuit... Nous ne pourrons pas le rejoindre dans l'obscurité...

Il semblait chercher quelque chose...

Ce bonnet sans doute... Regarde... Voilà qui va intéresser le bailli!

Les soldats portent le bonnet du charbonnier au bailli. Celui-ci l'examine pensivement...

Le pli du bord est plein de poussière de charbon... C'est donc un bonnet de charbonnier... Et à Damme il n'y a qu'un charbonnier : Claes!... Demain, il comparaîtra devant le tribunal...

S'il parle et que nous retrouvons les sacs d'or, un dixième du butin est pour moi... L'affaire en vaut la peine! Le bonhomme parlera!...

Le lendemain, de bonne heure, Soetkin et Thyl se mettent en route pour la maison de Catheline, à qui ils vont faire part des événements de la nuit...

Pauvre Hans!... Et je ne sais pas à qui il faut remettre ces sacs... Hans m'a dit seulement qu'ils étaient destinés à l'armée du Prince d'Orange...

Je vais me rendre tout de suite à Lissewege ; je connais là-bas le repaire des Gueux... Ils me diront ce que nous devons faire...

Thyl vous accompagnera pour conduire la charrette, Catheline. Je garderai Nele chez moi pendant votre absence ...Mais au fait, où est-elle ?

Elle est allée faire une course. Je ne puis attendre son retour... Viens, Thyl, nous partons!...

Pendant ce temps, Nele a rencontré le berger Dokus...

Bonjour, Nele. Dis-moi, est-ce bien Soetkin, la femme du charbonnier, que j'ai vue entrer chez ta grand-mère, ce matin ?

Mais oui, Dokus...Cela n'a rien d'étonnant : Catheline a tenu Thyl sur les fonts baptismaux.

Il se prépare du vilain pour la famille du charbonnier...

Je reviens de Damme, et j'ai rencontré un groupe de soldats espagnols qui se rendaient chez Claes pour l'arrêter!...

6

Affolée par cette nouvelle, la petite Nele part en courant vers sa maison...

...mais lorsqu'elle y arrive, elle n'y trouve plus que Soetkin ; Catheline et Thyl sont déjà en route pour Lissewege.

Pendant ce temps, Jacob Stevyn, le bailli, se dirige vers la demeure du charbonnier avec un détachement de soldats espagnols.

Claes, cette nuit, quelqu'un de la région a porté aide à un Gueux. On te soupçonne, car ton bonnet a été retrouvé à l'endroit du délit.

Pardonnez-moi, Monsieur le Bailli, mais ce bonnet ne m'appartient pas !

Ah, vraiment ?... Fouillez la maison, mes amis. Et gare à toi, charbonnier, si on trouve ici ce que je cherche...

Les soldats espagnols inspectent chaque recoin de la maison, mais ils ne découvrent pas les sacs de Carolus, cachés dans le jardin...

J'ai pourtant la conviction que Claes est le coupable ! Mais comment l'arrêter sans preuve ?... Ah, j'ai une idée !

Dans le but de provoquer chez le charbonnier un geste de révolte, un des soldats pousse brutalement Soetkin -qui vient d'arriver- à l'intérieur de la maison...

La ruse réussit. Fou de colère à cette vue, Claes s'élance et saisit sa lourde hache de bûcheron...

Holà, gardes ! Arrêtez ce révolté !

11

Aux cris du bailli, des gardes accourent prêter main-forte aux Espagnols, et Claes est bientôt maîtrisé.

Ne pleure pas, Soetkin!...Je sacrifierais ma vie avec joie pour la liberté de notre peuple. Que Dieu te protège!...Adieu

Les soldats emmènent le charbonnier, mais l'un d'eux reste pour garder la maison d'où Soetkin et Nele ont l'interdiction de sortir.

Le charbonnier Claes est accusé d'avoir porté aide aux Gueux et de s'être insurgé contre l'autorité espagnole. Il est jugé et condamné à mourir sur le bûcher. Toutefois on lui donne une chance de sauver sa vie...

Qu'il révèle où l'or destiné aux Gueux a été caché et il sera gracié! Mais Claes refuse de parler. On le jette dans un cachot, et le soir même, le bourreau prépare le bûcher...

Cependant, le soldat de faction devant la maison de Soetkin s'ennuie. A la nuit tombante il a déjà bu toute une cruche d'eau-de-vie...

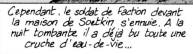

Nele, il faut que quelqu'un aille à Lissewege pour prévenir Catheline et Thyl'... Les Gueux trouveront bien un moyen de délivrer Claes...

C'est moi qui irai, Soetkin. Je sais monter à cheval...

Rendons tout d'abord l'Espagnol inoffensif...Porte-lui cette cruche d'eau-de-vie, dans laquelle j'ai mis un peu de poudre qui endort...

L'Espagnol boit l'eau-de-vie, et ne tarde pas à sombrer dans un profond sommeil.

Nele attend le moment propice... puis elle se décide. Mais à l'instant où elle passe, près du soldat, celui-ci ouvre les yeux...

Caramba!...Où vas-tu? Arrête, maudite Fille...

8

12

Mais l'effet du somnifère ne s'est pas encore dissipé. Brusquement, le soldat s'effondre dans l'herbe et se rendort aussitôt.

Le cœur battant, Nele attend quelques minutes encore... L'homme ne bouge plus.

Alors, la courageuse jeune fille saute en selle et part au grand galop en direction de Lissewege, pour annoncer aux Gueux les derniers événements.

Entre-temps, Catheline et Thyl sont arrivés à la ville, et sont descendus chez le boulanger Joris, chef des rebelles de la région...

Donc, l'or destiné au Prince d'Orange se trouve enterré à Damme dans le jardin du charbonnier Claes. Il y est probablement en sûreté...

...mais il faut que le prince l'ait en sa possession le plus tôt possible. Ses mercenaires murmurent parce qu'aucune solde ne leur a encore été payée.

Tout à l'heure, mes valets vont venir. Ce sont des gaillards en qui j'ai toute confiance... Nous prendrons des armes et nous irons à Damme, tous ensemble, demain; nous enlèverons l'or du Prince et nous le porterons à Sluis...

Hélas! Les conspirateurs sont loin de se douter qu'au même moment, le pauvre Claes se morfond dans son cachot...

Et tandis que le bourreau élève le bûcher, le charbonnier passe la nuit en prières.

Cependant, par les chemins déserts du pays du Zwyn, une vaillante jeune fille s'en va, au grand galop de son cheval, sans s'accorder un instant de répit...

Mais soudain un rat traverse la route. Effrayée, la monture se cabre, projetant au loin la petite cavalière...

9

A l'aube, les conjurés se mettent en route. Thyl, qui tient les rênes de la charrette, arrête brusquement les chevaux. Sur le chemin, la pauvre Nele est étendue, sans connaissance...

Thyl... ton père... a été arrêté et condamné...il doit mourir ce matin sur le bûcher...

Qu'attendons-nous, Joris ?... Nous sommes armés. Tentons un coup d'audace, pour arracher Claes aux mains des Espagnols !

Entendu : nous y allons ! Thyl ira chercher Soetkin et avec elle, il chargera les sacs d'or sur la charrette. Pendant ce temps, nous entourerons le bûcher. Un coup de mon arquebuse vous donnera le signal de l'attaque. Il faudra que ce soit rapide, foudroyant...

Catheline et Nele, rentrez chez vous... Nous viendrons vous chercher plus tard...

Que Dieu aide ces braves Fils de Flandre à mener à bien leur entreprise !

A Damme, la cloche du beffroi sonne pour annoncer l'exécution du charbonnier.

Au moment où Claes monte sur le bûcher, la population devient houleuse. Mais les piquiers ont tôt fait de disperser la foule...

Claes, il est encore temps de sauver ta vie. Dis-moi où tu as caché l'or des Gueux, et tu es libre !

Jamais ! Plutôt mourir ! A bas les Espagnols ! Vive Orange ! Vivent les Gueux !

Roulez tambours ! Bourreau, fais ton office !

Et tandis que gronde le roulement des tambours, le bourreau se penche vers le bûcher, une torche à la main...

14

AUSSITÔT QUE DAMME EST EN VUE, LES CONJURÉS SE SÉPARENT. THYL RENTRE CHEZ LUI AVEC LA CHARRETTE ET MET SOETKIN AU COURANT DU PROJET DES GUEUX. ENSEMBLE, ILS TRANSPORTENT LES SACS D'OR DANS LA CHARRETTE. PENDANT CE TEMPS, SUR LA PLACE, JORIS ET SES COMPAGNONS ENTOURENT LE BÛCHER SANS SE FAIRE REMARQUER.

Thyl, entends-tu le roulement des tambours ? Ils arriveront trop tard...

Mais d'un coup tiré de son arquebuse, Joris donne le signal de l'attaque.

Le bourreau chancelle, lâche la torche et tombe à la renverse.

Affolés, ne sachant d'où le coup est parti, les Espagnols se mettent à courir en tout sens.

Les autres Gueux ouvrent le feu. Une véritable panique s'empare des serviteurs du roi d'Espagne.

Holà, piquiers ! Encerclez le bûcher ! On veut libérer Claes !

Mais le bailli n'arrive pas à rappeler les soldats qui se dispersent. Au même moment, Thyl, qui n'attendait que l'instant favorable, fait irruption sur la place avec la charrette...

Vite, Claes ! À la charrette !

Et hop ! En route pour les quais... De là, un cotre nous conduira à Sluis...

Avant que l'ennemi ne soit revenu de sa surprise, la charrette fonce à toute vitesse vers le canal.

11

Mais comme il sort de la ville, l'attelage est pris sous le feu d'une bombarde légère.

Un des projectiles lancés par la bombarde vient fracasser la roue droite de la charrette, qui verse...

Vite, au débarcadère ! Un cotre nous y attend...Emportez les sacs !

Un des Gueux s'aplatit dans l'herbe et prend l'ennemi sous le feu de son arquebuse, tandis que ses compagnons portent les sacs à bord du bateau.

Et avant que les hommes de la bombarde aient pu recharger leur pièce, le cotre s'éloigne avec les intrépides conjurés.

Feu ! Caramba ! Il ne faut pas qu'ils nous échappent ! Coulez, le bateau !

Une forte brise fait danser le bâtiment sur le canal. L'homme de la barre s'efforce de conduire son bateau vers le milieu du cours d'eau...

...pour le mettre hors de portée des coups de la bombarde. Cependant, les Espagnols ajustent leur tir...

Encore deux cents coudées et nous serons sauvés...

Une nouvelle fois, les Espagnols font feu. Un boulet brise l'une des semelles du bateau et fait une large brèche dans la lisse...

D'autres coups suivent; mais à présent le cotre est loin, et l'ennemi en est pour ses frais.

Cependant, la consternation règne à bord du petit bateau. Le boulet, qui a atteint le navire, a projeté Claes sur le pont, où il reste étendu, sans connaissance...

12

Hélas ! En dépit des soins prodigués par Soetkin et Thyl, le charbonnier Claes succombe à sa blessure. Avant de rendre l'âme, il fait signe à Thyl de prendre l'écusson qu'il porte au cou.

Les Gueux enterrent Claes sur la berge du canal. Une grossière croix de bois marque l'endroit où la dépouille de ce vaillant fils de Flandre repose pour l'éternité.

L'écusson de Claes, mon père, restera sur ma poitrine jusqu'au jour où nos provinces seront délivrées !

Mais d'autres dangers guettent les Gueux dans leur voyage. Un garde-côte les prend bientôt en chasse....

Caramba ! Ce cotre navigue dans les eaux interdites ! Envoyez-lui une bordée d'avertissement !

Les canonniers obéissent, et le fracas d'une décharge ébranle les alentours.

Mais comme le cotre ne semble pas se soucier de cette sommation, le garde-côte envoie une nouvelle bordée qui pulvérise littéralement l'embarcation.

Les trois compagnons de Joris sont tués sur le coup. Le cotre s'abîme dans l'eau, tandis que les survivants, accrochés à un radeau, tentent de gagner la terre avec le précieux chargement d'or.

Le radeau n'offre plus une cible suffisante aux canons, mais les mousquetaires du garde-côte le prennent sous le feu de leurs armes.

Aaah ! Je suis touché !...Portez l'or des Gueux à Rymenam, près de Malines ...

Le Prince doit y livrer bataille ... Adieu !... Vivent les Gueux !

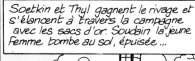

Soetkin et Thyl gagnent le rivage et s'élancent à travers la campagne avec les sacs d'or. Soudain la jeune femme tombe au sol, épuisée ...

Va, mon fils ! Continue sans moi ! Je n'en puis plus !

13

Mère, les Espagnols mettent une chaloupe à la mer; ils arrivent! Fuyons, sinon nous sommes perdus!

Pas encore, petit! Je vois briller à ton cou l'écusson des Gueux! Je suis des vôtres. Vive Orange!... Venez, ma charrette vous attend tous deux!

Mais qui es-tu?

Je m'appelle Lamme Goedzak, et je vis pour faire bonne chère! Mais hâtez-vous, car les Espagnols approchent!

Lamme Goedzak gagne bientôt la confiance de Thyl, qui lui raconte ses déboires. Il révèle aussi à son sauveteur que Soetkin et lui-même se rendent à Rijmenam pour y rejoindre l'armée du Prince Orange.

Lamme, nous allons fabriquer un double fond à ta voiture et nous y cacherons les sacs d'or. Nous nous ferons passer pour des forains: tu joueras de la cornemuse et moi, je danserai sur la corde raide.

C'est une entreprise pleine de risques!

Je réussirai, mère... l'écusson de Claes, mon père, me brûle la poitrine!

LORSQUE NOS AMIS ARRIVENT À BRUGES, SOETKIN QUITTE LAMME ET THYL; ELLE RESTERA DANS LA VILLE ET LOGERA CHEZ UN MEMBRE DE SA FAMILLE. LES DEUX JEUNES GENS POURSUIVENT LEUR ROUTE, EN SE FAISANT PASSER POUR DES FORAINS...

LES POSTES DE GARDE ET LES PATROUILLES NE LES INQUIÈTENT PAS. EN CE TEMPS-LÀ, MALGRÉ LES TROUBLES, ON MÈNE JOYEUSE VIE EN FLANDRE, ET PARTOUT ON ACCUEILLE VOLONTIERS LES FORAINS. UN SOIR, L'UNE DES ROUES DE LA CHARRETTE DEVANT ÊTRE RÉPARÉE, NOS AMIS S'ARRÊTENT...

Thyl, retire les sacs de la charrette pendant que je parle au Forgeron, et va les cacher en attendant que la roue soit remplacée! On ne saurait être trop prudent!

Le jeune garçon obéit et transporte les sacs dans le jardin du Forgeron, où il les cache à l'intérieur d'une ruche vide.

Deux vagabonds, qui se reposaient derrière la haie, entendent sonner les Carolus et dressent l'oreille...

18

Hé hé! Voilà un joli petit magot qui fera bien notre affaire!

N'y allons pas maintenant. Nous risquerions de rencontrer les hommes du bailli qui font leur ronde. Nous reviendrons prendre l'or après le coucher du soleil...

Thyl et Lamme Goedzak passent la nuit dans la grange du forgeron. Mais vers minuit, le jeune Thyl, qui ne peut trouver le sommeil aperçoit par la lucarne les silhouettes des deux vagabonds approchant prudemment du jardin...

Mû par un pressentiment, notre héros descend par l'échelle de la grange...

Il fait très noir, mais nous ne pouvons nous tromper... la ruche où est caché l'or sera beaucoup plus lourde que les autres...

Diable! Ces gredins m'ont vu déposer l'or dans la ruche!

Thyl décide de jouer un bon tour aux vagabonds. Il court vers la ruche en question, cache l'or dans les broussailles et se glisse sous la cloche de paille.

Trébuchant dans l'obscurité, les deux voleurs s'éloignent avec leur prétendu butin.

Un peu plus tard, Thyl sort une main de la ruche et se met à tirer la barbe du second brigand ; puis il sort l'autre main et tire les cheveux du premier.

Mille diables! Tu me cherches querelle? Ose encore me tirer la barbe, et je te ferai voir qui je suis!

Comment? Moi, je te tire la barbe? Menteur, c'est toi au contraire qui m'arraches les cheveux. Lâche-moi ou je te corrige à ma façon!

Le jeune farceur répète le jeu plusieurs fois. Fous de rage, les voleurs se jettent l'un sur l'autre. Sans attendre la fin du combat, notre héros prend la fuite...

Le lendemain, la charrette étant réparée, Thyl et Lamme replacent les sacs dans le double fond, et continuent leur route. Ils s'arrêtent dans une auberge pour déjeuner. Soudain, trois aveugles entrent dans la salle...

Menant grand tapage, les mendiants demandent l'aumône. L'un d'eux s'approche de la table de nos amis, la sébile tendue...

Déjà, Thyl délie les cordons de sa bourse, quand la tenancière se penche vers lui et lui souffle quelques mots à l'oreille...

Méfiez-vous ! Ces mendiants sont aveugles, mais ils ne sont pas sourds ! Ils espionnent pour le compte des Espagnols...

Venez, mon brave. Laissez-moi vous reconduire auprès de vos compagnons. Je remplirai ensuite votre sébile ...

Voici de quoi manger somptueusement, mes amis. Mais puis-je vous donner un bon conseil? Ne prenez pas votre repas ici, chez Grippesous, le tenancier du "Jambonneau Maigre", la cuisine est bien supérieure !

En entendant Thyl et Lamme critiquer les Gueux, les trois mendiants sont mis en confiance, et ils décident de suivre le conseil de notre héros.

Mais c'est dans son propre gobelet que ce farceur de Thyl a fait sonner les écus; chacun des mendiants pourtant s'imagine qu'un des deux autres a reçu l'aumône, et ils commandent un plantureux repas.

Quand Grippesous présente la note, aucun d'eux ne peut la payer. Ils s'accusent l'un l'autre de vouloir garder les écus et c'est bientôt la bagarre. A la fin, le tenancier, Furibond, les jette dehors...

Entre temps, Thyl et Lamme arrivent à Audenarde. Ils tendent une corde au-dessus d'un fossé, et, devant une foule de badauds, Thyl danse sur la corde...

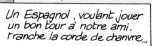

Un Espagnol, voulant jouer un bon tour à notre ami, tranche la corde de chanvre...

...Thyl exécute un plongeon dans l'eau fétide, sous les quolibets et les rires des spectateurs.

Continue à jouer de la cornemuse, Lamme. Ils vont me payer ça!...

16

Vous venez là de me faire une bonne farce, mes amis ! Mais je ne vous en veux pas... Tenez, passez-moi chacun une chaussure. Je vais à présent vous montrer mon meilleur tour !

Thyl rassemble les cordons des chaussures dans ses mains, puis il se remet à danser sur la corde. Brusquement, il lâche les souliers sur la foule...

Chacun s'élance pour récupérer son bien. Il s'ensuit une fameuse bataille, dont Thyl et Lamme profitent pour prendre le large...

Nous les retrouvons un peu plus tard, à la Foire d'Alost. Ils entrent dans une auberge...

Ah, Thyl, déjà mon ventre se réjouit. Hume donc un peu le fumet de ces plats. Quel délice !...

Hum !... La compagnie ne me plaît guère !

Assis autour d'une table, quelques Espagnols jouent aux dés...

A côté d'eux, un petit bossu fait tourner son "rommelpot" *

Caramba ! Une fois de plus, j'ai perdu !... Ôte-toi de là, vermine, tu me portes malchance !...

Quand je dis "ôte-toi de là", il s'agit d'obéir tout de suite, sinon...

Ne bouge pas, Thyl ! Laisse-moi faire !...

* " Genre de crécelle"

Caramba! De quoi te mêles-tu, gros lourdaud ?

Vous allez le voir tout de suite, señor !

't Is van te beven de klinkaard ! (1)

Vas-y ! Nous sommes avec toi !

A l'appel lancé par Thyl, tous les Flamands qui sont dans la salle l'entourent.

Va nous attendre dehors ! Nous voulons donner une leçon à ces brutes !

Tu n'en trouveras pas le temps, gros plein de soupe ! Mon épée...

...n'est pas assez rapide, señor !

't Is van te beven de klinkaard !

't Is van te beven de klinkaard !

Lancés avec force, les pots et les cruches volent à travers la salle, qui, en un clin d'œil, est vidée des Espagnols.

Quittez la ville au plus tôt avec votre ami, car il va faire malsain ici !

Merci, mes amis.... jeune homme, j'ai aperçu sur ta poitrine l'écusson des Gueux. Je puis donc te faire confiance. Écoute....

Tout en jouant, j'ai entendu les propos de ces soldats... Ils appartiennent à une garnison qui va rejoindre l'armée de campagne à Rijmenam, où ils livreront bataille au Prince d'Orange. Il faut en informer les Gueux...

Thyl et Lamme se mettent en route aussitôt. Chemin faisant, ils sont arrêtés par deux pèlerins...

Bonnes gens, laissez-nous faire un bout de chemin avec vous...,

Par ces temps troublés, il est dangereux de prendre avec soi des étrangers...Qui êtes-vous ?

Nous ne sommes que de pauvres et paisibles pèlerins ...

18

(1) Expression populaire de l'époque qui signifie à peu près "ça va chauffer."

Je regrette, mais nous ne voyageons pas pour notre bon plaisir... Tentez votre chance ailleurs.

S'il en est ainsi, nous serons obligés de vous forcer à nous prendre!

Etranges façons pour de paisibles pèlerins! Holà, Lamme, à la rescousse!

Tiens bon, Thyl, j'arrive! Vivent les Gueux!

HALTE! Qu'ai-je entendu? Répétez ce que vous venez de dire!

Vivent les Gueux!

Mais en ce cas, nous sommes des amis! Mon compagnon et moi avons pris ce déguisement de pèlerins pour nous rendre à Rijmenam, où nous nous joindrons à l'armée du Prince...

...Nous avons appris qu'une compagnie entière de mercenaires l'avait abandonné, parce qu'il ne pouvait plus payer leur solde aux hommes. Les Espagnols qui jusqu'ici ont évité le combat décisif, vont maintenant passer à l'attaque... Fouette ton cheval, Lamme!

Thyl et Lamme ne parlent pas aux Gueux de l'or caché dans le double fond de la charrette, mais ils acceptent de les emmener. Cependant comme ils approchent de Rijmenam...

...ils n'osent plus voyager que la nuit. Ils ne sont plus loin du but, quand soudain, la charrette verse dans le fossé: un des essieux s'est brisé...

Malheur! Il faut pourtant avertir l'armée des Gueux des intentions des Espagnols...

Vois-tu, Thyl, ces feux qui brûlent à l'horizon... Quelqu'un de nous devrait aller jusque-là pour demander de l'aide....

J'irai, Lamme!

Non! Il faut traverser les lignes espagnoles pour y arriver... C'est une mission trop dangereuse pour un jeune gars comme toi!

Je n'ai pas peur! L'écusson de Claes bat sur ma poitrine! Je passerai les lignes espagnoles et j'irai jusqu'au Prince d'Orange!

19

23

Après avoir délibéré, nos amis décident d'un commun accord que Thyl aura les plus grandes chances de pouvoir traverser les lignes ennemies et d'atteindre le camp de Guillaume d'Orange dit Guillaume le Taciturne.

Nous monterons la garde ici jusqu'à ton retour. Sitôt arrivé au camp des Gueux, fais-toi conduire à la tente du Taciturne. Et sois prudent, hein !

Ne t'inquiète pas pour moi, Lamme ! Avec l'aide de Dieu, je réussirai !

Thyl atteint les premiers ouvrages de fortification des Espagnols. Il les escalade et distingue deux gardes assis près d'un feu.

Je suis obligé de passer par là et ils risquent de me voir à cause de la lueur du feu. Comment attirer leur attention de l'autre côté ?

Voyons... essayons avec une poignée de terre...

Caramba ! J'ai entendu du bruit par là !

Ne t'énerve pas comme ça ! Ce sont des rats que tu entends... Ces sales bêtes pullulent par ici !

Thyl profite de l'occasion pour bondir par-dessus la deuxième ligne de défense, qui n'est pas surveillée, le voici à l'intérieur du camp ennemi...

À son grand étonnement, malgré l'heure tardive, les Espagnols semblent se préparer au combat dans le plus grand silence...

Les sabots des chevaux sont enveloppés de chiffons. C'est pour étouffer le bruit de leurs pas... Que préparent-ils donc ?

Quelques ordres sont lancés à mi-voix. Puis un détachement de cavalerie se met en marche et quitte le camp...

20

Mon Dieu ! J'ai compris ! Ils vont attaquer le camp des Gueux, cette nuit !!!

24

Bouleversé par cette découverte, Thyl continue son chemin. Il lui faut à présent passer derrière deux sentinelles qui s'entretiennent avec animation...

Un détachement de cavalerie et un escadron d'arquebusiers... Voilà de quoi surprendre désagréablement le Nassau !

C'est Julien Romero qui a pris le commandement de la cavalerie. Il entrera dans le camp par surprise et ira droit à la tente de Guillaume !

Ils veulent s'emparer du Prince ou le tuer... Si je pouvais arriver avant eux !... Ils marchent lentement, pour ne pas faire de bruit...

Thyl parvient à sortir des lignes sans être vu. Aussitôt, il se met à courir à toute allure dans la direction du camp des Gueux.

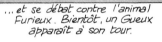

Là-bas ! le camp !... Peut-être pourrai-je encore les alerter à temps !

Soudain un grand chien sort des buissons et bondit sur notre ami Thyl tombe...

...et se débat contre l'animal furieux. Bientôt, un Gueux apparaît à son tour.

Bien travaillé, Jaho !... Qui es-tu, vaurien ? Que viens-tu faire ici ?

De grâce, écoutez-moi ! Il n'y a pas un instant à perdre. Les Espagnols vont attaquer le camp cette nuit. Je dois avertir le Prince ! Croyez-moi, je suis un gueux, moi aussi !

Des contes, tout cela ! Tu venais piller nos vivres, n'est-ce pas ? Tu mérites que je te passe sur-le-champ au fil de l'épée !

Tonnerre ! Silence, Jaho !... Qu'est-ce que c'est ? Un bruit de galop ?!

Ce sont les Espagnols ! Lâchez-moi ! Il faut prévenir le Prince !

Arrivé à proximité du camp, Julien Romero a donné le signal de l'assaut. Les cavaliers espagnols fondent sur le camp des Gueux comme une avalanche...

21

Enfin, Thyl parvient à se dégager. Il bondit vers un groupe de chevaux...

...saute sur le dos de l'un d'eux et part au galop vers le centre du camp, en poussant des cris d'alarme.

Tirés de leur sommeil, les Gueux sortent des tentes et s'interrogent sur ce qui se passe. Cependant Thyl atteint la tente du Prince...

Eveillez Guillaume d'Orange ! Les Espagnols nous attaquent par le sud ! Alerte !

C'est une compagnie de mercenaires allemands qui reçoit le premier choc de la cavalerie ennemie. Ils tentent de barrer la route aux assaillants, mais ceux-ci les piétinent sans pitié. Une centaine de Gueux ont déjà mordu la poussière...

22

Julien Romero profite de la confusion pour se frayer un chemin sanglant vers le centre du camp avec sa cavalerie.

Les Gueux essaient de former des compagnies et de concentrer leurs forces, mais les arquebusiers espagnols qui attaquent sur le flanc occidental, brisent net cette tentative.

Une panique générale s'ensuit et Romero continue sa marche vers la tente du Prince, sans guère rencontrer de résistance.

Entre temps, Thyl a pénétré dans la tente de Guillaume d'Orange; il le met au courant de la situation. Le Prince qui, en campagne, garde son armure, même... pour dormir, ne se départ pas de son calme légendaire.

Ils sont là! Ils approchent de votre tente! Il faut faire quelque chose! Qu'adviendra-t-il des Pays-Bas si vous êtes défait?... Dans un instant, tout sera perdu!

J'admire ton ardeur, jeune homme, mais rappelle-toi: "Point n'est besoin d'espérer pour entreprendre, ni de réussir pour persévérer." Allons, explique-moi clairement la situation!

Subjugué par le sang-froid du Prince, Thyl lui indique plus calmement, et sur une carte, les positions de l'ennemi.

Au même instant, les arquebusiers espagnols réussissent une nouvelle avance et mettent le feu aux tentes. L'incendie se propage rapidement illuminant le champ de bataille...

Et cette clarté est le salut des Gueux! Le Prince profite de la lueur de l'incendie pour rassembler ses hommes en un seul bloc. Les Gueux reprennent courage...

Aux cris de "Vivent les Gueux!" Orange-Libre"!, ils se rallient autour de leurs étendards. Non sans essuyer de lourdes pertes, ils parviennent à se ranger en ordre de bataille.

Le jeune Thyl a bondi sur une charrette, d'où il bat du tambour pour attirer les derniers combattants épars vers le centre du camp. Mais Julien Romero et ses hommes y arrivent aussi...

A la tente du Prince! Mort à Guillaume de Nassau! A nous la victoire!

23

27

Mais au dernier moment, une compagnie d'arquebusiers, qui a pu se reformer à la lueur de l'incendie, ouvre le feu sur l'ennemi et brise net son élan.

Romero, le courageux général espagnol, paie de sa vie sa téméraire tentative...

Cependant, avec calme et fermeté, le Prince continue de faire ranger ses troupes en ordre de bataille. Bientôt les Gueux boutent les Espagnols hors du camp...

Un immense cri de victoire jaillit de toutes les poitrines. Mais le Prince s'inquiète de Thyl, qui a disparu, et sans lequel il serait maintenant aux mains de l'ennemi...

Un régiment de lansquenets suisses ne semble pas prendre part à la joie générale. Holzen, leur chef, s'avance vers le Prince d'un pas ferme...

Monseigneur, mes hommes ont une fois de plus livré combat sans avoir touché leur solde. Désormais, c'est fini ; ils ne marcheront plus si vous ne les payez pas !

Capitaine, vous combattez pour gagner de l'argent, mais nous luttons pour la liberté des Pays-Bas !... Prenez patience encore un peu. Quand l'Espagnol aura quitté notre terre !...

Notre patience est à bout, Monseigneur ! Voici mon épée ! Dès cet instant, si l'ennemi vous attaque, nous ne combattrons plus à vos côtés !

Cette décision est un coup très dur pour Guillaume d'Orange. Il sait que si les mercenaires suisses refusent de l'aider, il ne pourra pas vaincre les Espagnols dans un combat décisif...

Le Prince, qui s'est retiré dans sa tente, donne des ordres pour qu'on recherche Thyl. Tombé au cours du combat, il est étendu sans connaissance parmi les morts et les blessés...

Les hommes chargés de relever les morts et les blessés trouvent Thyl, sans connaissance. Notre ami est transporté dans la tente du Prince...

...où les soins empressés d'un chirurgien ont tôt fait de le ranimer. Il ouvre des yeux étonnés...

Dès qu'il est en état de parler, Thyl annonce au Prince que l'or destiné à son armée est arrivé à peu de distance du camp...

Plus tard, notre ami quitte le camp avec une bonne escorte. Le groupe évite les lignes espagnoles grâce à un large détour et il arrive à l'endroit où attendent Lamme et les pèlerins...

Nous avons entendu le bruit de la bataille, mais je n'osais pas quitter la charrette...

Oh! Oh! Nous étions loin de nous douter que nous accompagnions une expédition aussi importante!...

Mais à notre tour de vous surprendre! Figurez-vous que nous sommes chargés d'une mission auprès du Prince, de la part des Gueux du Brabant!

Eh bien, accompagnez-nous au camp. Je vous introduirai auprès du Prince.... Monseigneur m'a pris en affection...

LES DOUZE SACS DE CAROLUS D'OR SONT TRANSPORTÉS AU CAMP DES GUEUX. LA NOUVELLE QUE LA SOLDE VA ÊTRE PAYÉE, ANNONCÉE À GRAND FRACAS, EST ACCUEILLIE AVEC DES CRIS DE JOIE. LES GUEUX SE METTENT À CHANTER, ACCOMPAGNÉS PAR LES CORNEMUSES ET LES TAMBOURS...

Battez tambours la diredondaine. Battez tambours la diredondon!

Les lansquenets suisses se rallient à la cause du Prince. Mais, pour fêter la bonne nouvelle, quelques-uns d'entre eux s'enivrent...

Soudain, leur regard tombe sur des prisonniers espagnols qui, les mains liées, sont assis à l'écart...

Que fait ici cette racaille espagnole? Je veux bien être changé en arbre si je ne les boute pas hors du camp!...

25

Les mercenaires ivres maîtrisent les gardiens et s'avancent en titubant vers les prisonniers désarmés...

Mais Thyl a remarqué leur mouvement. Il abandonne son tambour et se précipite au-devant des soldats...

Es-tu fou? Que vas-tu faire? Ces hommes sont sans armes; laisse-les tranquilles!

Ôte-toi de mon chemin, gamin! T'imagines-tu que tu vas me faire la leçon?

Alertés par ses gardes du corps, le Prince arrive sur les lieux...

Qu'on mette ces ivrognes aux fers. Les prisonniers sont sous ma protection: les lois de la guerre doivent être respectées!

Thyl, je t'attends dans ma tente. Tes bons services méritent récompense...

Holà, Thyl! Nous aurais-tu oubliés? Jusqu'ici, il nous a été impossible de parler au Prince: ne pourrais-tu nous aider?

Mais certainement! Justement, Monseigneur me fait appeler, suivez-moi!

Mais comme Thyl se dirige avec les deux pèlerins vers la tente de Guillaume d'Orange, un des prisonniers espagnols bondit sur ses pieds...

Dites donc, vous, là-bas, qui semblez bêtement assis, écoutez-moi!

Votre jeune ami nous a sauvé la vie, et votre chef est un noble soldat. Aussi je veux vous prévenir que le Prince court un grave danger. Les deux pèlerins qui accompagnaient Thyl sont des traîtres; je les ai vus à Alost en compagnie de généraux espagnols, ceux-ci leur ont donné de l'or pour qu'ils tuent Guillaume d'Orange.

Tu mens, mon gaillard! Tu penses t'attirer des avantages en racontant cette histoire!

Je suis prisonnier, señor, et je n'ai rien à gagner ni à perdre.

Mon Dieu! Et Thyl qui va introduire ces deux gredins dans la tente du Prince! Pourvu que j'arrive à temps!

26

30

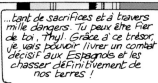
Pendant ce temps, dans la tente de Guillaume d'Orange...

Ce coffre contient l'or que tu as amené ici, au prix de...

...tant de sacrifices et à travers mille dangers. Tu peux être fier de toi, Thyl. Grâce à ce trésor, je vais pouvoir livrer un combat décisif aux Espagnols et les chasser définitivement de nos terres !

Monseigneur, le mérite de cette action ne revient pas à moi seul... Justement, deux de mes compagnons de voyage souhaiteraient vous parler...

Au-dehors, les pèlerins attendent...

Fais vite ! Les chevaux doivent être prêts pour que nous puissions fuir sitôt notre travail terminé !

Cache ton pistolet. Voici Thyl... Nous allons être introduits.

Notre ami, loin de se douter des sombres desseins des deux compères, leur fait signe d'entrer dans la tente...

Vous êtes les compagnons de Thyl ? Que désirez-vous de moi, mes amis ?

Monseigneur, nous avons à vous faire une communication très confidentielle de la part des Gueux de Brabant. Vous êtes seul à pouvoir l'entendre...

Bon. Eh bien pendant ce temps, je vais aller voir où reste mon ami Lamme.

Mais le bon Lamme, fou d'inquiétude pour le Prince, arrive en courant d'un autre côté...

Garde, n'as-tu pas vu mon ami ? Un gros garçon qui jouait de la cornemuse.

Non... je t'ai vu introduire deux pèlerins chez le Prince. Tu les connais bien ? Ce ne serait pas la première fois qu'on essaie d'attenter à la vie de Monseigneur !

Avant que Thyl ait pu répondre, deux coups de pistolet éclatent à l'intérieur de la tente... Ils sont suivis d'un silence de mort.

27

PAN   PAN

Mortellement inquiet, Thyl soulève la tenture qui ferme la tente... Il aperçoit les deux pèlerins étendus, sans vie, sur le sol...

Que s'est-il passé, Monseigneur? Qui a fait feu sur ces hommes ?

Je ne sais pas. Je n'ai pas vu le tireur, il était caché derrière ce rideau.

Justice est faite! Quelques secondes de plus, Monseigneur, et c'est vous qui étiez abattu par ces traîtres!

A peine le Prince s'est-il remis de son émotion, qu'un cavalier arrive au galop devant sa tente....

Monseigneur, les Espagnols lèvent le camp! Aussitôt après l'échec de leur attaque nocturne, ils se sont mis à détruire leurs fortifications.

IL EST MANIFESTE QUE L'ENNEMI VEUT ÉVITER UNE RENCONTRE QUI METTRAIT LES DEUX ARMÉES EN PRÉSENCE DANS UN COMBAT DÉCISIF; IL VA TENTER PLUTÔT D'ÉPUISER LES GUEUX PAR UNE GUERRE DE MOUVEMENT...LE PRINCE CONVOQUE SES CHEFS D'ARMÉE.

Messires, il ne faut pas que les Espagnols puissent nous entraîner dans une longue campagne. Ils sont bien ravitaillés et pourront tenir beaucoup plus longtemps que nous.

Il s'agit avant tout d'empêcher que l'ennemi puisse recevoir des approvisionnements par la mer...

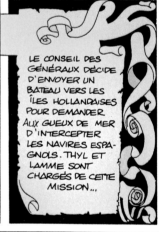

LE CONSEIL DES GÉNÉRAUX DÉCIDE D'ENVOYER UN BATEAU VERS LES ÎLES HOLLANDAISES POUR DEMANDER AUX GUEUX DE MER D'INTERCEPTER LES NAVIRES ESPAGNOLS. THYL ET LAMME SONT CHARGÉS DE CETTE MISSION...

Et c'est ainsi que nous retrouvons Thyl et Lamme aux environs de Damme, se dirigeant vers la côte. Nous sommes à présent en plein cœur de l'hiver...

Oh, regarde là-bas, Lamme ...Ces gens attroupés...

Holà!...Que se passe-t-il ?... Pouvons-nous vous aider ?...

Hélas mes amis, celui-ci n'a plus besoin d'aucune aide...Le malheureux est la troisième victime du loup-garou...

28

Ce loup-garou est la terreur de la région. Nul enfant n'est plus en sécurité... Et voyez comme le monstre maltraite ses victimes...

Personne ne sait ce qu'est véritablement ce loup-garou... Sans doute s'agit-il d'un homme, d'un fou, qui par les nuits de pleine lune revêt une peau de loup et parcourt la campagne en hurlant. Malheur alors à celui qui se trouve sur son chemin !... On prétend que Catheline, la sorcière de Damme, en sait long sur ce monstre...

Catheline ? N'est-ce pas ta marraine, Thyl ?... Hélas, nous ne pouvons songer à l'aider... Notre mission nous appelle !

Lamme, nous devons passer par Damme... il faut protéger Catheline...

Pense au bailli, Thyl ! Tu ne peux te montrer dans la ville... On n'y a certainement pas oublié l'évasion de ton père...

Tu as raison... Attendons la nuit pour avertir Catheline des soupçons que le peuple a sur elle...

Mais en passant sous les murs de Damme, Thyl ne peut résister au désir de s'approcher des patineurs qui évoluent sur le canal gelé... Tant de souvenirs d'enfance lui reviennent...

Soudain, un cavalier s'approche, en agitant violemment une clochette. Aussitôt, tout le monde court vers lui...

Cache-toi, Thyl ! C'est un des hommes du bailli !

Le cavalier lit une proclamation du bailli invitant tous les hommes et les femmes de Damme à participer à une chasse nocturne pour attraper le loup-garou.

Pourquoi faire une battue ? Tout le monde sait bien que la sorcière de Damme cache le monstre chez elle !

Tais-toi ! Tu mens ! Ce n'est pas vrai !...

29

33

Vous savez tous que Catheline n'est pas une sorcière... Elle connaît beaucoup de choses extraordinaires, c'est vrai, mais elle n'a jamais utilisé sa science que pour faire le bien !...

Cette enfant de sorcière essaie de nous berner mais aussitôt que le bailli nous en aura donné la permission, nous irons mettre le feu à la cabane de Catheline !

Désespérée par tant de méchanceté, les yeux pleins de larmes, la pauvre Nele retourne en courant vers la masure de sa grand-mère.

De crainte d'être reconnus et arrêtés, Thyl et Lamme se sont cachés tout le jour. La nuit venue, ils se rendent chez la vieille femme...

Catheline, c'est Thyl, ton filleul... Ne me reconnais-tu pas? ...Ma mère est-elle toujours à Bruges? J'aimerais tant la revoir !...

Je te reconnais bien, Thyl. Tu cherches Soetkin? Tu arrives trop tard ! Ta mère est morte !... Ha! ha! ha! Morte, oui, morte de chagrin après la disparition de ton père !

Le pauvre garçon !... Quel choc! Sa mère était le seul être qui lui restât !

Cher Thyl, pardonne à Catheline cette annonce brutale... Après l'évasion de Claes, grand-mère a été arrêtée et torturée car on la soupçonnait d'avoir aidé les Gueux... Elle en a perdu la raison

Mais toi, Thyl, tu vis ! Tu es venu sur terre pour accomplir de grandes oeuvres! Tu vas voir, dans la Fumée magique, ton destin extraordinaire ...

Et Catheline la folle se précipite vers le foyer. Elle jette de la poudre et des herbes dans la marmite suspendue au-dessus de la flamme. Une fumée rose s'en élève aussitôt...

Regardez dans la Fumée magique... Vos yeux s'ouvriront sur d'étranges visions... Regardez...

Bouleversés par les mystérieux agissements de la folle, nos amis n'entendent pas les hurlements du loup-garou qui court éperdument à travers la campagne enneigée...

30

Mais soudain le loup-garou cesse de hurler... Il vient d'apercevoir derrière lui les hommes lancés sur ses traces; la grande battue a commencé.

Cependant dans la pauvre masure, Lamme, Thyl et Nele regardent, fascinés, l'étonnante fumée rose...

Regardez ! Regardez ! Des images se forment au coeur de la fumée magique ! ...

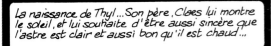

La naissance de Thyl...Son père, Claes lui montre le soleil, et lui souhaite d'être aussi sincère que l'astre est clair et aussi bon qu'il est chaud...

Mais voici que la vision s'assombrit...Des corbeaux noirs aux ailes de feu fendent le beau ciel de Flandre et le couvrent d'un nuage noir, présage de malheur...

L'ennemi est là, avec son cortège de roues et de potences...Albe, le duc sanguinaire, sème la terreur dans les Pays-Bas. On n'entend plus que plaintes et lamentations...

Pourtant le soleil un jour reparaît : Thyl Ulenspiegel va entreprendre de libérer la Flandre ! Dans les larmes et le sang naîtra la délivrance !

Un jour, on dira : "Thyl est l'esprit de la Flandre ! Nele est son coeur, et Lamme son estomac." Vous serez à jamais les symboles de ce peuple qui défend sa liberté à la pointe de l'épée et de l'humour !

La vision se dissipe ... Catheline ! Mon Dieu ! Elle chancelle ... Elle tombe !...

Aide-moi à porter la pauvre vieille dans son lit, Thyl...Et, toi, Nele, cours chercher le barbier !...

Nele jette un châle sur ses épaules et, sur la neige durcie, se hâte vers Damme.

31

Thyl, entends-tu ? C'est le hurlement du loup-garou !

Ciel ! Et Nele qui est partie seule dans la nuit ! Il faut la rattraper !

Le loup-garou a pris une large avance sur ses poursuivants, il se remet à hurler de façon provocante.

Le loup-garou ! Sainte Vierge, s'il me voit je suis perdue !

Folle de terreur, Nele s'élance vers un moulin abandonné...

Quelques hommes qui participent à la battue ont relevé les traces du loup-garou ; ils sonnent du cor pour alerter les autres chasseurs...

Mais le loup-garou a entendu cet appel. Il grimpe dans un arbre et, de là, suit les mouvements de ses poursuivants...

Les traces sont fraîches... Le monstre ne peut être loin. Avançons avec prudence, les gars !...

Se sentant traqué, le loup-garou descend de l'arbre et bondit vers le moulin où Nele s'est réfugiée...

Soudain, la neige se met à tomber dru, couvrant bientôt les traces du monstre et déroutant les chasseurs...

En grognant sauvagement, le loup-garou s'élance à l'intérieur du moulin. La pauvre Nele, terrorisée, se réfugie dans le recoin le plus obscur de la vieille bâtisse...

32

A présent, c'est une véritable tempête de neige qui déferle sur la plaine, et les chasseurs, aveuglés et transis, sont contraints d'abandonner la battue....

De son abri, le loup-garou les regarde s'éloigner en ricanant. Ressortir par ce mauvais temps ne le tente guère : aussi décide-t-il de passer la nuit au moulin.

Le cœur battant, la pauvre Nele se fait toute menue dans sa cachette...

Pendant ce temps, Thyl, qui a emmené avec lui Jago, le chien de Catheline, se hâte dans la direction de Damme. Il passe bientôt à proximité du moulin abandonné...

Nele ! Nele ! Où es-tu !?... NELE !...

La voix du jeune garçon se perd dans la tempête. Cependant le loup-garou vient d'apercevoir sur le plancher les traces humides des chaussures de Nele !

Prise de panique, la jeune fille s'élance vers l'échelle qui conduit à l'étage, suivie par les yeux luisants du loup-garou. Le monstre hurle en apercevant sa proie...

Arrête, Jago ! Tu as entendu ? C'était le loup-garou !

D'une brusque détente le monstre bondit sur l'échelle...

La malheureuse fillette se sent perdue. Déjà le souffle du loup-garou est sur elle. Nele pousse un cri déchirant...

Nele ! C'est sa voix !... En avant, Jago ! Il faut la sauver !

33

37

Jago vient d'entrer dans le moulin, il bondit sur le monstre et l'arrache de l'échelle...

Tous deux roulent à terre. Cependant le loup-garou parvient à s'emparer d'un gourdin qui traîne sur le plancher...

Il en assène un coup formidable sur la tête du chien qui s'écroule dans un gémissement.

Thyl entre dans le moulin à son tour. Le loup-garou lui lance de toutes ses forces son gourdin à la tête. Instinctivement, notre ami presse la gâchette de son pistolet. Le coup part...

...et le monstre s'effondre en poussant un cri. Il reste étendu, inanimé, sur le plancher.

Sans lui accorder un regard, Thyl et Nele, bouleversés, s'enfuient loin du moulin maudit...

Arrêtons-nous un instant, Nele. Il me semble avoir entendu tirer...

Moi aussi... Les coups viennent du bois de sapins qui se trouve derrière la cabane de Catheline...

Quelques hommes de la battue ont repéré un individu vêtu d'une grande cape qui courait sur la plaine. Le prenant pour le loup-garou, ils lui ont crié de s'arrêter. Mais l'homme n'ayant pas obtempéré à leurs injonctions, ils se sont mis à tirer sur lui...

Agile comme un écureuil, Thyl grimpe dans un arbre afin de scruter les environs.

Un homme s'enfuit là-bas... Il court vers la maison de Catheline !... Que va-t-il y chercher ?...

En effet, le fugitif, qui a réussi à semer ses poursuivants, fonce droit vers la cabane de la vieille femme...

34

L'homme semble connaître les lieux. Il entre dans la maison par la porte de derrière...

Lamme, qui veille au chevet de la malheureuse Catheline entend du bruit. A pas de loup, il s'approche de la grande salle...

Catheline est sûrement déjà couchée. Pourvu que je trouve les papiers sous la pierre, devant le foyer...

Cet individu semble bien connaître la maison. Que diable vient-il chercher ici ?

Heureusement, ils y sont !... Maintenant, Filons ! Les chasseurs ne doivent plus être loin !...

Au moment où l'homme à la pèlerine va se relever, Lamme bondit sur lui comme un tigre ...

Surpris, l'homme se retourne ; mais il perd l'équilibre et tombe à la renverse ...

Il parvient à faire un croc-en-jambe à Lamme qui tombe à son tour.

Rapidement, l'inconnu s'est relevé : il s'élance vers la porte, tire le loquet ...

Mais à ce moment, au-dehors, des pas rapides font craquer la neige : Thyl et Nele arrivent à la cabane...

35

La porte s'ouvre brusquement. Surpris, Thyl et Nele font un bond en arrière. Lamme s'est jeté sur l'homme à la pèlerine au moment où celui-ci franchissait le seuil.

Ciel! Est-ce possible?!... Arrête, Lamme! Cet homme est le batelier Hans, que je croyais mort!

THYL!

Hans, tu es vivant!!!... Pourtant, la nuit où je t'ai aidé à sauver l'or des Gueux, je t'ai vu tomber dans le canal, touché par une décharge de mousquet!?...

Oui. Mais je n'étais pas gravement blessé, j'ai nagé sous l'eau, puis je me suis réfugié dans un bois de sapins. C'est là que j'ai vécu, depuis lors. Catheline m'apportait des vivres. Plus tard, quand la malheureuse est devenue folle, je vins moi-même, presque chaque nuit dans sa cabane lorsque Nele dormait.

Les chasseurs qui ont retrouvé les traces de Hans s'approchent à leur tour de la cabane. Lamme va au-devant d'eux...

Ohé, les gars! Ne cherchez pas plus loin. Le loup-garou est dans le vieux moulin!

Lamme parvient à convaincre les chasseurs de retourner sur leurs pas. Il les accompagne jusqu'au moulin abandonné où le loup-garou gît en effet, toujours inanimé.

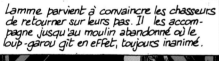

Par exemple!? Le bailli de Damme!!! Qui aurait cru chose pareille!?!...

Sans doute les remords des crimes qu'il a commis lui auront-ils fait perdre la raison. Le destin a voulu que ce soit Thyl lui-même qui lui fasse expier ses forfaits! Dieu prenne en pitié l'âme de ce misérable!

La nouvelle de la mort du bailli est longuement commentée dans la ville de Damme. A voix basse, on parle aussi de la présence de Thyl dans la maison de Catheline...

Galnaes, le poissonnier semble prendre un vif intérêt à ces bruits...

La tête de Thyl a été mise à prix pour 100 Carolus... C'est une somme rondelette!...

36

Le poissonnier décide de se rendre sur-le-champ à l'hôtel de ville pour voir le commandant espagnol...

Ainsi, nous pourrions arrêter Thyl, le fils de Claes, dans la maison de la sorcière Catheline ?

Mais ce n'est pas ça qui m'intéresse. Je préférerais que quelqu'un espionnât Thyl et me fît connaître les plans des Gueux. Vous me comprenez ?

Cette nuit, la lampe brûle tard dans la demeure de Catheline. Thyl, Lamme et Hans discutent...

Le Prince ne pourra pas vaincre les Espagnols sur terre. Le Duc d'Albe devient de plus en plus puissant et ses troupes augmentent sans cesse. Les nobles Flamands ont peur et n'osent se rallier à la cause de Guillaume...

Il faut que la guerre se transporte sur mer. Là, nous pourrons infliger de lourdes pertes à l'ennemi. La flotte des Gueux se trouve en ce moment près de Douvres, où elle attend des ordres...

Oui. Et c'est nous qui sommes chargés de les lui transmettre. Mais comment allons-nous pouvoir toucher les Gueux de Mer s'ils sont au large de la côte anglaise ?

Un bâtiment espagnol se trouve bloqué dans le Zwyn par les glaces. Nous allons nous en emparer...

Nele, il faudrait mettre du bois sur le feu. Où puis-je en prendre ?

Laisse donc, Thyl ! Je vais y aller !

Prenant une lanterne, Nele quitte la salle et va dans l'étable...

Mais tandis qu'elle entasse les bûches, elle entend soudain un léger bruit derrière elle ...

Dans le faisceau de la lanterne, la jeune fille distingue avec effroi deux pieds d'homme. L'espion se rend compte qu'il est découvert...

Pas un cri, pas un geste, ou je tire !

37

41

Là, comme ça, tu ne me gêneras pas. Ecoutons encore un peu ce que ces Gueux conspirent...

La Flotte des Gueux à Douvres... Le navire espagnol dans le Zwyn... Héhé, ces renseignements me seront payés un bon prix.

Ligotée et bâillonnée, Nele assiste, impuissante, aux gestes du poissonnier qui note ce qu'il a entendu, puis s'enfuit en direction de Damme.

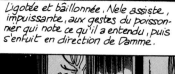

Vainement la jeune fille essaie de desserrer ses liens. Pourtant, il faut qu'elle avertisse les Gueux de la trahison. En désespoir de cause, elle donne un coup de pied à la lanterne...

...et l'envoie se briser contre une hache de bûcheron. Le feu prend à la paille, et la fumée pénètre dans la chambre de Catheline, qui se met à crier...

Au feu ! Au feu ! Otez le feu ! Eloignez le bourreau ! Otez le feu !

Alertés par les appels de la Folle, les conspirateurs ne tardent pas à découvrir Nele. Ils s'empressent d'éteindre le feu et de la libérer.

Le poissonnier a entendu votre conversation. Il va vous trahir. Vite, il faut l'en empêcher !

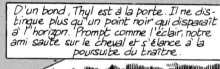

D'un bond, Thyl est à la porte. Il ne distingue plus qu'un point noir qui disparaît à l'horizon. Prompt comme l'éclair, notre ami saute sur le cheval et s'élance à la poursuite du traître.

Ne t'inquiète pas, Lamme ! Je le rejoindrai avant qu'il n'arrive à Damme !

Galnaes court aussi vite qu'il le peut. En dépit de son avance, il perd rapidement du terrain. Thyl va bientôt le rattraper...

Brusquement, le traître se retourne, sort son pistolet, et tire sur le courageux garçon...

38

Mais Thyl a vu le geste du gredin et il se laisse glisser sur le côté de sa monture. La balle passe en sifflant au-dessus de sa tête.

Allons sur la glace. Là, il n'osera pas me suivre avec son cheval. Une fois arrivé sous les murs de Damme, j'appellerai les Espagnols à mon aide-

Mon Dieu ! Il n'atteindra jamais l'autre rive. La glace n'est plus assez solide pour supporter le poids d'un homme!

En effet, la glace cède brusquement avec un craquement sinistre et le poissonnier disparaît. Horrifié, Thyl se cache les yeux...

Le bruit du coup de pistolet a alerté quelques soldats espagnols qui logent dans une ferme voisine.

Inutile de chercher encore! Le courant l'aura emporté sous la glace. Cet homme devait être fou!

Ou bien il avait une raison impérieuse de risquer ainsi sa vie. Je vais garder ce chapeau et le montrer au commandant de la place.

Thyl voit les soldats sortir un papier du chapeau de Galnaes, et il comprend que les notes du traître ont été découvertes.

Un des Espagnols saute aussitôt sur son cheval et va porter la précieuse trouvaille à son supérieur, à Damme.

Caramba ! Ce poissonnier a fait du beau travail ! Nous allons immédiatement cerner la maison de la sorcière !

39

Désespéré, Thyl retourne en hâte à la cabane de Catheline. La trahison du poissonnier va les obliger, lui et ses compagnons, à quitter Damme immédiatement.

Galnaes est mort. Il a passé à travers la glace du canal et s'est noyé. Mais les Espagnols ont trouvé ses notes... Nos projets sont à l'eau !

Pas nécessairement ! Partons tout de suite. En chemin, nous alerterons les Gueux et nous attaquerons ensemble le bateau espagnol bloqué dans le Zwyn.

Comme ils ne disposent que d'un seul cheval, nos amis prennent place tous ensemble sur un traîneau et ils filent au grand galop sur la neige.

Peu de temps après, une compagnie de cavaliers espagnols arrive à la cabane. Constatant que celle-ci est vide, ils s'élancent aussitôt sur les traces des fuyards.

Aïe ! Nous sommes déjà poursuivis !... Si au moins nous pouvions atteindre Lissewege avant qu'ils nous rattrapent, et demander du renfort aux Gueux du maquis !...

Les cavaliers gagnent rapidement du terrain sur le traîneau lourdement chargé. Celui qui est à leur tête sort son pistolet...

Je parie ma ration d'eau-de-vie que j'abats leur cheval du premier coup...

Malédiction ! Cette fois c'en est fait de nous ! Thyl ! Lamme ! Courage ! Combattons jusqu'à la dernière goutte de sang ! Vivent les Gueux !

40

Les cavaliers espagnols se rapprochent du chemin creux, sous les coups de pistolet tirés par nos amis.

Recharge les armes, Thyl. Lamme et moi allons tirer sans arrêt, jusqu'à épuisement des munitions !

Encerclez-les et ouvrez le feu !

Les deux tireurs s'efforcent de maintenir l'ennemi à distance, le plus longtemps possible...

Mais les Espagnols ont l'avantage du nombre. Une pluie de balles s'abat sur le petit groupe des Gueux. Touché, Hans s'écroule sans un cri...

Une seconde plus tard, Lamme est blessé à son tour et il s'effondre avec un gémissement...

Epargnez la femme et les jeunes gens !... Jamais je n'ai rencontré d'aussi courageux adversaires !

Soudain, un appel de cor résonne sur la campagne...Un groupe de Gueux, débouche en trombe de la forêt voisine. Surpris par le feu nourri des mousquets, les Espagnols prennent la fuite...

Hourrah ! Les Gueux sauvages de Lissewege ! Nous sommes sauvés ! Vivent les Gueux !

Mais la petite Nele, hélas, n'a pas le coeur à crier sa joie... couchée sur le corps inanimé de la malheureuse Catheline elle sanglote éperdument.

41

C'est un bien triste cortège qui s'enfonce dans la forêt, vers l'endroit où quelques huttes primitives servent d'abri aux Gueux Sauvages...

Après une courte mais émouvante cérémonie, les deux morts sont enterrés côte à côte. Deux croix de bois marquent leurs tombes...

Lamme, qui heureusement n'a été que légèrement blessé, se fait soigner, puis il explique aux Gueux, réunis autour du feu de bois, le plan qu'avait imaginé Hans...

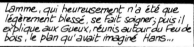

Le Prince a dû reconnaître qu'il lui était impossible de soutenir plus longtemps la lutte en campagne. Notre seule chance de salut est du côté de la mer...

Un navire espagnol se trouve bloqué dans le Zwyn par les glaces. Il faut nous en emparer par ruse ou par force et aller rejoindre la flotte des Gueux de mer qui croise devant Douvres, pour lui remettre les ordres du Prince.

Vous avez entendu, camarades ? Nous allons partir tous ensemble. Sur la mer, nous pourrons porter quelques coups durs aux Espagnols. De toute manière, après ce qui s'est passé, il ne ferait pas bon rester ici...

Thyl et Johan, le chef des Gueux Sauvages, se dirigent avec quelques hommes vers le Zwyn pour élaborer un plan d'attaque.

A l'endroit où le canal de Damme s'élargit pour former le Zwyn, ils trouvent en effet un galion espagnol, immobile au milieu des glaces. Il semble impossible de l'atteindre sans se faire voir...

Il faut trouver un moyen de nous emparer de ce navire ! La victoire des Gueux en dépend peut-être !

42

46

Toute attaque ouverte serait vouée à l'échec. Avec ses nombreux canons, l'ennemi nous aurait balayés avant que nous n'ayons pu l'approcher. Il faut employer la ruse...

Attendez !... J'y suis ! Nous allons improviser une fête de patineurs. Une bande de joyeux compères plus ou moins ivres n'éveillera pas les soupçons...

Excellente idée, Thyl. Nous viendrons ici avec des balais décorés de rubans, des cornemuses, des flûtes. Nous cacherons les armes sur des traîneaux. Un premier groupe attirera l'attention des Espagnols. Un second groupe apparaîtra sur la rive et fera plus de vacarme encore. Ensuite...

Sur le chemin du retour, nos amis étudient leur plan dans ses moindres détails, et ils avertissent au passage les hommes valides de la région.

Le lendemain, un groupe pittoresque et bruyant se dirige vers le Zwyn. Les uns jouent de la cornemuse, d'autres de la flûte, quelques-uns chantent d'une voix avinée.

Cette compagnie burlesque ne manque pas d'attirer l'attention des marins espagnols qui s'accoudent au bastingage et observent les... élégantes glissades des patineurs !

Que signifie cette foire ?

Sans doute l'une ou l'autre société de paysans qui donne une fête sur la glace. Il n'y a rien à craindre : ils ne sont pas armés. Et voyez comme ils amusent nos hommes !

Poussez le traîneau contre la coque, sans vous faire remarquer, et attendez que le second groupe nous rejoigne...

43

47

Bientôt, un second groupe de paysans apparaît sur la rive, précédé d'un bouffon qui danse au son des cornemuses et fait des cabrioles. Arrivés près du navire, les fêtards s'arrêtent et le bouffon interpelle les Espagnols.

Ohé! Señor capitano, si vous le permettez, je vais divertir vos hommes par quelques-uns de mes meilleurs tours!

Laissez-le faire, Capitaine. Notre équipage s'ennuie; cette longue immobilité ne lui vaut rien. Un peu de distraction ne lui fera pas de tort...

Un peu plus tard, l'équipage tout entier se presse au bastingage, du côté de la rive, les matelots applaudissent avec enthousiasme aux farces et aux cabrioles du bouffon.

Cependant, de l'autre côté du galion, cachés par la courbe de la coque, quelques patineurs se sont approchés des traîneaux: ils découvrent les armes...

Puis sans bruit, plusieurs gaillards résolus se hissent sur le navire à l'aide de cordages. Cependant, sur le pont, un soldat espagnol semble inquiet...

Caramba! Je n'ai jamais vu les paysans d'ici organiser une fête de ce genre sans y amener leurs femmes!...Je vais en parler au capitaine...

Le soldat n'a pas le temps de mettre son projet à exécution. Une main ferme lui écrase la bouche. Le premier Gueux est à bord!

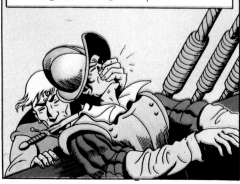

44

Rapidement, la sentinelle est réduite à l'impuissance. Les Gueux se hissent sans bruit par-dessus le bastingage...

Thyl, Lamme et Johan gagnent aussitôt le pont supérieur. Ils déplacent un des canons de bord et l'amènent au-dessus de l'équipage espagnol...

Les Espagnols se retournent en entendant le canon rouler... Trop tard ! Déjà les Gueux les encerclent, tandis que Johan pointe sur eux la gueule menaçante de la pièce...

Rendez-vous, ou nous balayons le pont avec votre propre canon !

Quelques soldats se jettent sur les assaillants, mais ils sont aisément maîtrisés. Comprenant que tout est perdu, le capitaine se rend.

Señor, je reconnais que je suis battu. Voici mon épée.

Vous agissez sagement, capitaine. Vos hommes seront épargnés.

Mais Riesenkraft, un lansquenet suisse qui s'est joint aux Gueux sauvages, ne partage pas l'avis de Johan.

Jette ce pistolet, Riesenkraft ! J'ai dit que les prisonniers auraient la vie sauve. Une parole de soldat est sacrée !

Je me moque de votre parole. Je dis, moi, que seul un Espagnol mort est un Espagnol qui vous laisse tranquille !

Thyl, qui connaît le caractère bouillant et belliqueux du lansquenet, vient de s'accrocher à une corde pendue au-dessus du pont...

45

Au moment où Riesenkraft, sans se soucier de la promesse faite par Johan, se rue sur le capitaine, pistolet au poing, Thyl se laisse tomber sur lui...

Tiens-toi tranquille, Riesenkraft ! Nous ne sommes pas des barbares! Notre parole est une parole d'honneur !

Je m'en vais t'apprendre à te mettre sur ma route, nourrisson ! Par le tranchant de mon épée !...

C'est cela, prends ton épée. Pour ma part, je choisis une arme plus digne de toi !

Saisissant un balai, Thyl s'avance d'un pied ferme au-devant du lansquenet. Fou de rage, celui-ci dégaine...

Cette brute va réduire Thyl en bouillie. Il faut l'en empêcher !

Mais non. Thyl manie habilement le bâton. Je plains plutôt le Suisse ...

Thyl esquive l'attaque de Riesenkraft avec dextérité, et lui applique quelques vigoureux coups de balai.

Soudain, le jeune garçon donne un coup violent sur le bras du soldat qui pousse un cri et lâche son arme.

Le Suisse essaie de reprendre son épée, mais notre ami lui envoie les baguettes de son balai en pleine figure. L'homme se détourne et abandonne la lutte...

Sous les rires moqueurs de ses compagnons d'armes, il quitte le navire et gagne la côte.

Mais au moment où il monte sur la berge, il reçoit dans la nuque un pistolet lancé à toute volée. Le malheureux s'effondre, face contre terre...

46

50

Bravo, Fernando ! Ce gaillard venait du navire. Nous avons fait une bonne prise.

Un objet bien lancé vaut un coup de pistolet lorsque l'ennemi se trouve à proximité !

Quand Riesenkraft revient à lui, les soldats l'obligent à raconter ce qui s'est passé à bord.

Puis ils lui lient les mains et l'entraînent vers leur quartier général, à l'intérieur des terres.

Les deux éclaireurs font partie d'un détachement d'artillerie envoyé au secours du navire par les Espagnols, après que la note du poissonnier leur eût appris le projet des Gueux.

Riesenkraft entre dans la salle commune, où on l'interroge à nouveau.

Caramba ! Nous arrivons trop tard, le navire est déjà entre leurs mains. Inutile d'essayer de le reprendre en passant sur la glace : ils nous balayeraient avec les canons du bord.

Il n'y a qu'une chose à faire : détruire le navire en le bombardant du rivage. Sans doute vont-ils casser la glace pour se frayer un passage vers la mer ? Un peu avant son embouchure, le canal se rétrécit : c'est là que nous les attendrons pour les couler !

Le lansquenet, qui a été jeté dans la grange, entend les paroles du commandant.

Un peu plus tard, un garçon de ferme, accompagné par un garde, vient lui porter à manger. Son repas terminé, le Suisse est à nouveau ligoté.

Mais en sortant de la grange, le valet de ferme laisse tomber un objet sur la paille...

Riesenkraft se penche... Dans l'ombre, il distingue la forme d'un petit poignard !

47

Quand le garde et le valet de ferme se sont éloignés, Riesenkraft saisit le couteau de ses mains ligotées, le dégaine et le plante dans la porte.

Puis il y frotte la corde qui lui lie les mains. Soudain, un roulement de tambour retentit au-dehors...

C'est le rassemblement. Riesenkraft comprend que les artilleurs espagnols vont se mettre en route.

Quelque temps après, une longue caravane de canons et de chars transportant des munitions avance dans la neige et la boue, en direction de l'embouchure du Zwyn.

Entre temps, les Gueux font sauter la glace avec de la poudre explosive, afin de creuser un chenal devant la proue du navire.

Hourrah, Lamme! Ça va marcher. Dès que le bateau aura avancé un peu, il se frayera de lui-même un chemin dans la glace. Celle-ci fond du côté de la mer.

Ne crie pas trop vite victoire, Thyl... A chaque instant, je m'attends à voir...

Silence! La vigie nous crie quelque chose!

OHÉ! ATTENTION! MOUVEMENT DE TROUPES À BÂBORD!

48

Aussitôt, Thyl, Lamme et Johan grimpent à la hune de vigie. Au loin, ils distinguent la colonne des artilleurs espagnols.

Je devine leur plan. Ils n'osent pas nous attaquer ici, de crainte d'être balayés par nos canons. Ils vont nous attendre à l'embouchure du Zwyn, où le canal se resserre. Si nous ne voulons pas être envoyés par le fond, il faut y arriver avant eux!

Tout le monde sur le pont! Hissez les voiles! Hâtez-vous. Il y va de notre vie à tous!

Les Gueux se précipitent à la manœuvre. En un clin d'œil les voiles sont hissées.

Gonflées par une forte brise, elles entraînent le galion dans le chenal creusé au milieu de la glace.

La proue bardée de fer fend la croûte glacée qui cède avec des craquements... Puis le bateau recule pour reprendre de l'élan et recommencer la manœuvre.

Courage, les gars! Quelques percées encore, et nous serons au milieu des glaces qui flottent à la dérive. Nous pourrons alors avancer plus vite. Nous serons sauvés!

Ne crie pas victoire trop tôt, timonier! Nous n'arriverons pas à l'embouchure avant les Espagnols, je le crains! Et ça va chauffer!

Bientôt le galion avance plus rapidement, en effet, mais il n'a pas encore toute sa liberté de mouvement...

...et en atteignant l'endroit où le Zwyn se resserre, les Gueux constatent que la crainte de Lamme était fondée: vingt pièces d'artillerie sont alignées sur la rive, prêtes à tirer.

Canonniers, à vos pièces! Une double solde pour vous si vous me coulez ce bateau en trois salves!...

49

53

Pendant ce temps, un combat se livre dans l'âme de Riesenkraft. Ses liens défaits, le mercenaire entrevoit une chance de salut. Que va-t-il faire ? Fuir et abandonner ses compagnons ? Ou essayer de leur porter secours au risque de sa vie ?

Nous avons juré fidélité au Prince d'Orange... Thyl avait raison ! une parole de soldat est une parole d'honneur. Je suis soldat, et je le resterai !

Entendant un garde s'approcher de la grange, le lansquenet se hisse sur les poutres de la charpente...

L'Espagnol entre et cherche des yeux le prisonnier... Mais à cet instant Riesenkraft se laisse tomber...

...et envoie un rude coup de pied au soldat qui perd connaissance. Puis il bâillonne hâtivement sa victime et, sans bruit, se glisse dehors...

Mais comme il cherche un cheval dans la cour d'entrée, un garde l'aperçoit...

Caramba ! Le Gueux s'est échappé ! Alerte !

Quatre soldats s'élancent et coupent le chemin de l'étable au fugitif. Riesenkraft tire son épée ; il s'apprête à vendre chèrement sa vie...

Ses assaillants se défendent comme de beaux diables, mais en vain ils tombent l'un après l'autre. Hélas, le bruit de la lutte a alerté d'autres soldats qui accourent.

Mais avant que les nouveaux arrivants aient pu intervenir, Riesenkraft étend son dernier adversaire. Puis il saute sur un cheval et s'enfuit au grand galop.

Pas la peine de tirer, l'homme est déjà hors d'atteinte... Inutile aussi de vouloir le rattraper : il fait nuit et le gaillard connaît la région.

Entre temps le galion, qui progresse péniblement au milieu des glaces, est arrivé à hauteur des batteries espagnoles. Les canonniers n'attendent plus qu'un signal pour tirer la première salve...

Un coup d'avertissement devant la proue !... Peut-être cela les fera-t-il réfléchir !...

Une des pièces est pointée dans la direction voulue. Le coup part... et un boulet de canon s'abat devant le galion, faisant sauter des fragments de glace.

Mille tonnerres ! Ils vont nous réduire en miettes ! Hohé ! Toutes voiles dehors ! Naviguez le plus près possible de la rive !

Nous allons essayer, mais nous risquons de nous échouer. Il y a beaucoup de bancs de sable par ici...

En effet, quelques instants plus tard, le navire s'échoue sur un banc de sable...

51

Per diablo ! Ils sont bloqués exactement dans notre ligne de tir ! Quelle aubaine ! Allez-y !   FEU !

La batterie du galion entre en action ; un coup de canon éclate... Mais au même moment les pièces espagnoles se mettent à cracher le feu...

Une véritable pluie de projectiles s'abat sur le navire et défonce le gaillard d'arrière. Le grand mât est fauché ; il s'écroule sur le pont jonché de morts et de blessés.

Johan, de grâce, est-ce qu'il n'y a aucun moyen de leur échapper ? Encore une ou deux salves, et il ne restera plus de nous qu'une épave...

Il y a peut-être un moyen... En tirant nous-mêmes une salve du côté de la terre, nous pourrions remettre le navire à flot...

Les Gueux chargent toutes leurs pièces et ils font feu du côté de la plaine...

Le choc provoqué par le recul des lourds canons de bord arrache en effet le galion au banc de sable et le remet à flot...

Mais les Espagnols ont rechargé leurs batteries en grande hâte. Sur le navire, un ordre descend de la hune de vigie...

Mettez-vous à l'abri ! L'ennemi va nous envoyer une deuxième salve ! Attention !

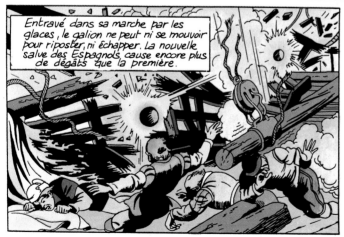

Entravé dans sa marche par les glaces, le galion ne peut ni se mouvoir pour riposter, ni échapper. La nouvelle salve des Espagnols cause encore plus de dégâts que la première.

Son gaillard d'arrière en feu, ses voiles arrachées, toute direction perdue, le bâtiment offre maintenant une cible facile aux artilleurs espagnols.

Allons-y pour le coup de grâce, les gars ! Visez la ligne de flottaison ! C'est la troisième salve ! Feu !

52

A bord du navire, les Gueux luttent pied-à-pied contre l'incendie qui ravage le gaillard d'arrière...

La prochaine bordée nous achèvera !

Du navire, Lamme ne peut voir ce qui se passe derrière les fortifications espagnoles. Riesenkraft, qui a couru ventre à terre, vient d'arriver sur place...

Apercevant le navire démantelé et fumant, le mercenaire comprend que tout est perdu. Il voit l'ennemi recharger les pièces pour le coup de grâce...

Peut-être y a-t-il encore un moyen de les sauver... il m'en coûtera la vie...

...mais j'ai vécu en soldat et je mourrai en soldat !

Le courageux lansquenet passe en trombe devant les canonniers stupéfaits...

Devinant les intentions du mercenaire, un des Espagnols sort son pistolet et tire... Riesenkraft est touché à l'épaule...

Il vide les étriers et s'abat sur le sol avec un gémissement.

Apercevant une mèche enflammée, il la saisit et s'élance vers les charrettes où sont chargées les réserves de poudre... Hélas, d'autres soldats lui barrent la route...

Blessé à mort, le lansquenet s'effondre...

53

Mais soudain dans un dernier sursaut, Riesenkraft se redresse et lance la mèche enflammée vers les barils de poudre...

Les Espagnols se précipitent... Trop tard! Le projectile atteint son but...

On entend le dernier cri de Riesenkraft: "ViVENT LES GUEUX"... Puis une effroyable détonation: la batterie espagnole explose!

Bientôt, les hommes du galion n'aperçoivent plus qu'un épais nuage de fumée, à l'endroit où l'ennemi avait rangé ses pièces...

Nos amis, contemplent ce spectacle, sidérés... Mais nul d'entre eux ne devine le courageux sacrifice du lansquenet Riesenkraft...

Une fois l'incendie maîtrisé, on débarrasse rapidement le navire de tous les débris et on le répare comme on peut...

Le vent s'engouffrant dans son unique voile, il gagne la haute mer...

54

À quoi penses-tu, Thyl?... Oh, je le devine.... Tu songes que nous quittons notre patrie. Aussi longtemps que l'oppresseur dominera les terres de Flandre, nous serons des errants!

Nous n'avons pas le choix, Thyl. Le Prince a perdu la bataille des Flandres à cause de la lâcheté de ses mercenaires qui réclamaient de l'or quand ils auraient dû se battre. A présent, retiré dans le château de ses ancêtres à Dillenbourg, dans le pays du Rhin, il se prépare à poursuivre la lutte avec quelques-uns de ses fidèles. En attendant, les Gueux devenus corsaires devront piller les navires espagnols pour procurer au Prince l'or nécessaire...

Johan, le Gueux sauvage, prend le commandement du galion et passe l'inspection des survivants. Hélas, les bordées espagnoles ont fait de nombreuses victimes.

Naviguant vaille que vaille, le navire gagne la haute mer et vogue vers la côte anglaise.

Mais le mauvais sort s'acharne sur lui. Une violente tempête se lève. Le galion démantelé est le jouet des flots en furie. Les malheureux navigateurs déploient des efforts surhumains pour garder le cap.

Toute la nuit, la tempête fait rage. Des vagues hautes comme des maisons se ruent à l'assaut du navire.

...et le jettent finalement sur un banc de sable où sa coque déchirée se brise en deux, dans un sinistre craquement.

Une partie de l'équipage trouve la mort dans les flots. Quand l'aube éclaire l'horizon, le pont arrière a déjà disparu dans l'abîme. Lentement, la proue s'enfonce à son tour...

Il nous faut construire un radeau. Notre épave ne va pas tarder à se disloquer et nous périrons jusqu'au dernier.

Les hommes lient quelques planches en toute hâte. Dès que le radeau est terminé, les survivants y prennent place: au même instant, la proue du galion achève de se disloquer...

La mort dans l'âme, les Gueux regardent disparaître les restes du navire. Tant de leurs frères d'armes ont péri à cet endroit. Le projet de gagner la côte anglaise doit être abandonné.

Thyl, je crois que cette fois tout espoir est perdu... La flotte des Gueux est ancrée devant Douvres. Tant qu'elle n'aura pas reçu de message, pas un de ses navires ne partira...

De sorte que si nous rencontrons un bâtiment, il arborera sans aucun doute le pavillon espagnol. Mais il est probable qu'avant cela, nous serons morts de faim!...

Depuis deux jours, le radeau flotte à la dérive. Les malheureux naufragés sont exténués et affamés. Mais voici qu'un navire paraît à l'horizon !

C'est un galion ! Il vogue toutes voiles dehors et va sûrement nous croiser.

Une bonne brise gonfle les voiles du navire qui approche rapidement. Bientôt les naufragés distinguent les détails de son bord.

Il arbore le pavillon espagnol ! C'était à prévoir... Mais regarde ! Trois navires plus petits apparaissent derrière lui... Ils semblent le poursuivre !

En effet, trois petites galères naviguent dans le sillage du galion qui s'efforce en vain de les semer.

Qui sont les poursuivants ? Seraient-ce des Gueux de la Mer ?

Ne vois-tu pas que ce sont des galères, Thyl ? Cela veut dire qu'il y a des rameurs. Et ces rameurs sont des esclaves !

Nous sommes en présence de pirates anglais ! Ces marins n'obéissent à personne ! Ils attaquent aussi bien les Espagnols que les Anglais ou les Gueux de la Mer. Leur seul but est de prendre du butin !

Un brusque arrêt du vent fait retomber les voiles du galion. Les galères anglaises gagnent rapidement du terrain...

Les pirates jubilent. Brendal, leur capitaine, se prépare à donner le signal de l'abordage...

Ils n'ont des pièces ni devant ni derrière. Evitez les flancs. Nous attaquerons par la poupe. Plus vite ! Fouettez les rameurs !

Le tambour qui marque le rythme des rameurs accélère ses coups. Le fouet siffle au-dessus de la tête des malheureux qui rament de toutes leurs forces...

Nous tomberons aux mains des vainqueurs... Si ce sont les Espagnols, la corde nous attend; si les pirates anglais gagnent, nous deviendrons des esclaves !...

56

60

Les pirates s'approchent de la proue du galion espagnol en prenant soin de ne pas se mettre dans la ligne de tir des canons de tribord.

Les Espagnols, qui se sont massés sur le gaillard d'arrière pour empêcher l'abordage, sont pris sous le feu des assaillants.

Les grappins d'abordage sifflent et se plantent solidement dans le bastingage.

A l'assaut ! Mort à l'Espagnol !

Si les pirates parviennent à monter à bord du galion les choses vont tourner mal pour les Espagnols !

Le commandant du galion fait évacuer le gaillard d'arrière et ses mousquetaires se replient au pied du grand mât, d'où ils saluent d'une salve nourrie les pirates qui ont déjà pris pied sur le pont.

Le chef des hors-la-loi tranche les cordages qui retiennent une pyramide de tonneaux...

... qui roulent sur le pont dans un bruit de tonnerre, dispersant les mousquetaires espagnols.

Un effroyable corps à corps s'engage sur le gaillard d'arrière. Les Espagnols défendent chèrement leur navire et bientôt tous les pirates sont forcés ...

... de quitter leurs navires pour venir prêter main-forte à ceux qui luttent sur le galion. Cependant, le radeau de nos amis s'approche du théâtre du combat.

Ecoutez, les gars ! Je viens de songer à un plan audacieux ... S'il réussit, nous sommes sauvés !

Les bâtiments des pirates ont été quasiment désertés. Approchons de l'un d'eux, maîtrisons les quelques hommes restés à bord, libérons les rameurs et ... à nous le grand large !

Ce projet téméraire est aussitôt adopté. Se servant de quelques planches pour ramer, les naufragés avancent rapidement vers la galère la plus proche.

Allons-y. Chacun choisit sa victime. Une fois le pont débarrassé, détachons les amarres...

Les gardes, qui n'ont d'yeux que pour le combat livré sur le galion, sont pris par surprise et jetés à la mer sans difficulté...

Thyl se précipite dans la cale où les galériens enchaînés lèvent vers lui des regards étonnés ...

Nous sommes des Gueux ! Le navire est à nous ! Un dernier effort : ramez de toutes vos forces, et la liberté vous attend !

Prends garde, mon garçon ! Retourne-toi !

Un pirate vient de surgir de l'autre côté de la cale. Il fonce vers notre ami...

Ne crie pas trop tôt victoire, mon gaillard !

D'un brusque coup de tête, Thyl évite de justesse le poignard qui siffle à son oreille et s'enfonce dans la cloison...

Notre ami se croit perdu. Mais son regard tombe sur un solide bâton qui traîne à ses pieds. D'un geste rapide il s'en empare, au moment où la brute tire son épée...

58

Enchaînés à leurs bancs, les rameurs suivent avec anxiété cette lutte inégale dont dépend leur liberté. Le pirate, sûr de sa force, passe hardiment à l'attaque. Mais Thyl fait dévier chaque "botte" avec une adresse incroyable...

...puis soudain, avec la vivacité de l'éclair, il assène quelques coups de bâton bien appliqués à son adversaire.

Fou de rage, le pirate lui donne un violent coup d'épée qui brise net son bâton.

La brute fonce de nouveau. Thyl lève son gourdin à deux mains...

Pendant quelques secondes les deux adversaires mesurent leurs forces. Mais Thyl sent les siennes faiblir...

Alors, brusquement, il se retourne et, laissant tomber son morceau de bois, il saisit le bras du pirate, puis le fait basculer...

...au-dessus de son épaule. L'homme atterrit violemment à portée des galériens qui le maîtrisent en un clin d'œil.

Les chaînes des malheureux sont aussitôt brisées sur l'enclume...

La galère est aux mains des Gueux ! A force de rames, elle s'éloigne aussitôt du théâtre du combat.

Damned ! Qu'est-ce qui se passe !? ...Que vingt hommes me suivent ! On nous enlève un navire !

63

Soudain, aussi brusquement qu'il est tombé, le vent se lève, gonflant les voiles des navires qui se mettent en mouvement. Du coup, la situation est renversée. Le capitaine espagnol hurle ses ordres...

Canonniers, à vos pièces! Barre à bâbord! Dieu soit loué, le vent vient à notre aide!

Nous sommes perdus! Sauve qui peut! Enlevons les grappins et Fuyons!

Les pirates abandonnent la lutte et se ruent vers leurs galères, non sans essuyer de lourdes pertes.

A Force de rames, ils s'éloignent du galion espagnol. Mais celui-ci crache feu et flammes et l'une des galères est envoyée par le fond.

Cependant, sur le navire conquis par les Gueux, toutes les voiles ont été hissées. Le bâtiment se trouve déjà à bonne distance du galion et il file comme le vent.

Courage, les gars! Ramez dur! Avant que les Espagnols en aient fini avec ce qui reste des deux autres galères, nous serons hors de leur portée.

Thyl, lamme et les deux autres Gueux aident les rameurs. La perspective de la liberté toute proche décuple les Forces des galériens ...

Pendant ce temps, les canons du galion espagnol se sont attaqués au deuxième navire pirate. Quelques bordées sous la ligne de flottaison l'achèvent, et il disparaît dans les flots.

Puis le galion vire de bord et l'on recharge les canons. Le capitaine porte les yeux sur le troisième vaisseau fuyard...

Toutes voiles dehors! Poursuivons cette canaille! Elle ne doit pas nous échapper!

60

64

Mais avant que les Espagnols aient viré de bord, la galère est déjà loin. Nos amis voguent, toutes voiles dehors, vers la côte anglaise.

Ils jettent l'ancre à Douvres et s'annoncent auprès des Gueux de la Mer. Reçus par l'amiral de la Flotte, le comte Lumey de Lamarch, ils font un récit complet des événements.

Vous êtes de courageux garçons ! Et il y aura encore du travail pour vous lorsque, aidés par l'Angleterre, nous libèrerons les Pays-Bas.

Mais la reine Elizabeth estime le moment mal choisi pour attaquer et elle refuse d'allier sa Flotte à celle des Gueux.

L'amiral Lumey n'est pas homme à se croiser les bras. Aussitôt il réunit un conseil des Gueux, et l'on décide de tenter un coup hardi sur l'île de Woorn...

...en s'emparant du port de Briel qui constituera un point stratégique pour le Prince. La même nuit, des roulements de tambour rappellent les Gueux à leur bord !

Thyl a toutes les peines du monde à arracher Lamme aux délices de la cuisine anglaise ! Après tant de privations, le garçon veut se rattraper !

Les deux amis sont les derniers à monter à bord du vaisseau-amiral, qui leur a été assigné. Ils descendent aussitôt dans la cale pour chercher leur cabine.

Un corps étendu sur le plancher leur barre la route. L'homme est sans connaissance. Les deux jeunes gens le raniment...

J'ai surpris un espion... un Gueux... qui écoutait à la porte... de l'amiral... il m'a assommé...

Thyl bondit vers le hublot et aperçoit un homme, en barque qui s'éloigne rapidement du bateau...

61

Abandonnant le blessé aux soins de Lamme, Thyl se laisse glisser sur le quai le long d'un cordage.

Il se met à courir à toutes jambes vers une petite plage, car il a vu que le rameur dirigeait sa barque de ce côté. En effet, comme il y parvient, l'homme quitte son embarcation...

Caché derrière un rocher, notre ami observe l'espion qui se dirige rapidement vers une maison solitaire, perchée sur la falaise.

L'homme va droit à la porte de l'habitation et y frappe quelques coups. Il est immédiatement introduit. Sans hésiter, Thyl s'élance à son tour vers la maison.

Son occupant est un individu sinistre et grossier, connu comme chercheur d'épaves. Il interroge l'espion sur le motif de sa visite.

Les Gueux ont l'intention d'attaquer Briel. Conduis-moi immédiatement sur le continent, je veux avertir les Espagnols.

Hum... C'est un boulot dangereux! Peu pour moi!

Pour écouter la conversation des traîtres, Thyl monte sur le toit d'une remise et s'introduit par une fenêtre.

Il entend que l'espion argumente pour persuader le bonhomme, mais celui-ci refuse obstinément. Soudain...

L'Espagne paie à prix d'or de tels services. Tiens, attrape cette bourse comme acompte!

Hé! Hé! Voilà qui change tout!

Entendu. Le temps de préparer mon cotre, et nous partons.

Thyl en sait assez. Il veut se glisser silencieusement au-dehors, mais dans l'obscurité, il trébuche sur le chat qui miaule affreusement!

Malédiction! On nous espionnait! Qui va là!!!

62

Des coups de pistolet éclatent... Thyl bondit vers une fenêtre...

...brise le carreau et s'enfuit du côté de la plage.

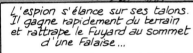

L'espion s'élance sur ses talons. Il gagne rapidement du terrain et rattrape le fuyard au sommet d'une falaise...

C'est ainsi que je punis les curieux qui se mêlent...

Mais agile comme une anguille, Thyl échappe à son agresseur et d'une violente détente des jambes le pousse en bas du rocher.

S'apercevant que l'homme ne sait pas nager, notre ami plonge sans hésiter derrière lui.

Il doit replonger à plusieurs reprises avant d'atteindre le noyé qui a perdu connaissance.

Thyl le remonte à la surface, mais il peut à peine maintenir la tête de l'homme hors de l'eau. Comme il voit un cotre s'approcher, il appelle au secours.

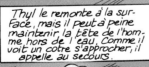

Hélas! Il se rend compte trop tard que le batelier n'est autre que le chercheur d'épaves...

63

Comme les Espagnols vont me payer une somme rondelette pour les renseignements que je leur porte, autant leur rendre ce petit service par-dessus le marché !...

L'homme tire sur Thyl qui, d'un effort surhumain, maintient encore la tête de l'espion hors de l'eau. Mais un coup de feu atteint ce dernier...

Le corps du noyé disparaît dans les profondeurs, tandis que Thyl se dirige vers la plage en nageant sous l'eau pour échapper aux balles du voleur d'épaves.

Peu de temps après, Lamme et quelques Gueux découvrent Thyl qui s'est évanoui en atteignant la plage. Ils le portent dans une cabane de pêcheurs.

Cloué sur son lit par la fièvre, Thyl écoute la canonnade qui annonce le départ de la Flotte des Gueux.

Le cotre du voleur d'épaves est bientôt rejoint et envoyé par le fond en quelques bordées...

Le traître n'échappe pas à son châtiment. Il disparaît dans les flots avec son bateau.

Les Gueux arrivent en vue de Briel, à l'embouchure de la Meuse. Ils jettent l'ancre au large du port et mettent des chaloupes à la mer. Les embarcations se dirigent rapidement vers le rivage...

Une fois que tous les effectifs ont été débarqués, la petite armée marche vers la ville au roulement des tambours. Chose étrange, l'occupant espagnol ne réagit pas. Un des commandants des Gueux s'avance jusqu'à la porte de la ville et crie :

Au nom d'Orange, ouvrez !

64

En voyant s'approcher les Gueux, la garnison espagnole a préféré fuir. Les assaillants mettent le feu à la porte de la ville et l'enfoncent. Ils font une entrée triomphale dans la cité désertée par l'ennemi.

Bientôt cependant, les Espagnols contre-attaquent. Mais après une lutte sanglante ils sont repoussés par les Gueux.

Le drapeau des Gueux flotte sur les murs de Briel.

GUILLAUME D'ORANGE POSSÈDE MAINTENANT UNE BASE SUR LA CÔTE. LES GUEUX SONT MAÎTRES DE LA MER. CES CORSAIRES INTRÉPIDES SÈMENT LA TERREUR PARMI LES GALIONS ESPAGNOLS COULANT NOMBRE DE LEURS BÂTIMENTS...

C'EST LE DÉBUT DE LA GRANDE OPÉRATION QUI VA LIBÉRER LES PAYS-BAS. L'UNE APRÈS L'AUTRE, LES VILLES OCCUPÉES PAR LES ESPAGNOLS SONT SOUSTRAITES AU JOUG ENNEMI. MAIS CETTE LUTTE ÂPRE VA DURER DES ANNÉES...

Un jour, Lamme apprend une affreuse nouvelle. Le navire sur lequel Thyl rentrait d'Angleterre vers le continent a péri corps et biens.

Désespéré, découragé, Lamme quitte ses frères d'armes. Il erre par la Flandre. Ses pérégrinations le conduisent à Damme où il rencontre Nele...

Ensemble les deux amis pleurent la perte de Thyl, ce symbole vivant de la liberté...

Mais qu'est-ce donc ? La nouvelle du naufrage de son navire était-elle fausse ?... Près de la tombe de Claes, Lamme aperçoit l'ombre de Thyl, agenouillé...

Thyl ! Thyl ! Nous te croyions mort !

Mort, Lamme !? Voyons, est-ce que Thyl, l'âme, et Nele, le cœur de Flandre, mourront jamais ?... Non ! Nous vivrons éternellement... Partons, mes amis ! Le soleil de la liberté se lève à l'horizon... En route !...

65

FIN

CONTEXTE HISTORIQUE

La révolte des Pays-Bas contre l'occupation espagnole est aussi connue sous le nom de guerre de quatre-vingts ans (1568-1648). Mais dans les Provinces du Sud, elle n'a fait rage que pendant les vingt premières années de cette période.

Le soulèvement qui couvait depuis 1555, date à laquelle Charles Quint avait transmis à son fils Philippe II, la souveraineté des Pays-Bas, éclata violemment en 1566 avec l'iconoclasme et dura jusqu'à la chute d'Anvers en 1585.

Les causes du mécontentement étaient multiples. Etant né à Gand, Charles Quint était encore considéré par les habitants des Pays-Bas comme «LEUR» empereur et jouissait d'une certaine popularité, malgré son attitude très sévère face aux cités qui n'acquittaient pas leurs lourds impôts, ou aux adeptes de la réforme religieuse, luthériens, anabaptistes ou calvinistes, tous poursuivis comme hérétiques.

Philippe II, qui régnait plus volontiers depuis l'Espagne, se montrait bien plus impitoyable envers les hérétiques que son père, et intensifia les persécutions. Mais parmi les catholiques aussi, le mécontentement grondait, à cause de la présence massive de soldats et de dirigeants espagnols, et le manque de respect affiché par Philippe envers les privilèges accordés aux villes et aux régions.

L'organisation du clergé s'était sensiblement modifiée depuis 1559 et la noblesse n'avait presque plus son mot à dire dans la nomination des évêques tandis que Louvain risquait de perdre son autorité au profit de la nouvelle université de Douai. Mais ce qui irritait surtout la noblesse, en majorité catholique, avec Guillaume d'Orange comme principal représentant, c'est que le nouvel archevêque Granvelle, nommé en 1561, ne soit pas un Néerlandais et qu'il prenne au pied de la lettre les instructions de Philippe II, lui ordonnant d'extirper les nouvelles religions jusqu'à la racine.

La lutte ouverte contre la Réforme ainsi que la Contre-Réforme organisée par l'église catholique provoquaient dans nos régions un effet contraire, mais le souverain installé en Espagne, ne voulait pas l'admettre.

Lorsque la régente, Marguerite de Parme, s'oppose elle aussi à Granvelle, Philippe se résout finalement à le rappeler, en 1564. Les révolutionnaires calvinistes croient leur heure venue. Même Guillaume d'Orange, qui était resté catholique, se prononçait pour une forme très avancée de liberté de religion. Mais le comte Egmont, qui avait été envoyé en Espagne comme médiateur, revint les mains vides, fin 1565 : l'Inquisition devait se poursuivre.

Paru en couverture du "Journal Tintin" du 17 octobre 1951, ce dessin en couleurs de Willy Vandersteen annonçait la prépublication en bichromie de son adaptation bédessinée des aventures de Thyl Ulenspiegel.

Une part importante de la noblesse des Pays-Bas se rallia en un front commun, qui envoya en avril 1566 une supplique à la régente afin d'obtenir un adoucissement des mesures de rigueur contre les hérétiques. Marguerite était disposée à prêter l'oreille à cette requête bien que sa cour ait reçu les représentants de la conjuration avec très peu d'égards, les qualifiant de «gueux», c'est-à-dire de mendiants. Ce nom de «gueux» allait être revendiqué ensuite comme un titre par tous les révoltés protestants.

Comme les hivers très rigoureux de 1564 et de 1565 avaient semé la famine parmi le peuple appauvri, il suffisait de peu de chose pour mettre le feu aux poudres. C'est ce qui se produisit au cours de l'été 1566. Excitée par des calvinistes fanatiques et guère gênée par les autorités nobles, qui jugeaient préférable de fermer les yeux, une vague de violentes émeutes enflamma le Nord de la France pour se propager ensuite dans nos régions. Les destructions visaient surtout les biens de l'Eglise.

Les iconoclastes commencèrent leur terrible saccage le 10 août 1566 dans le Sud-Ouest de la Flandre. Dix jours plus tard, la cathédrale d'Anvers était mise à sac et en moins de deux semaines, le tourbillon de folie destructrice ravagea tout le pays vers le Nord, jusqu'en Frise et à Groningue. De très nombreuses œuvres d'art, d'une valeur inestimable, furent irrémédiablement perdues.

Les nobles se servirent de l'insurrection pour pousser la régente à plus de clémence envers leurs exigences (en échange, ils promettaient de réprimer sévèrement la révolte).

Le 28 mai 1567, un traité est enfin signé, qui accorde même aux insurgés une sorte d'amnistie.

Ceci aurait pu être le début d'une ère de relative liberté de religion, mais deux mois plus tard, depuis Madrid, Philippe II mettait fin à ce frêle espoir. Il déclara nul le traité et remplaça Marguerite par son plus fidèle chef militaire : le duc d'Albe. Arrivé aux Pays-Bas au mois d'août 1567, le duc réprima impitoyablement la révolte en quelques semaines.

Le nouveau régent était un homme d'état rusé et cruel dont la stratégie consistait à rassurer la population inquiète pour frapper d'autant plus durement ensuite. Son but était double: exterminer complètement l'hérésie et briser le pouvoir de la noblesse aux Pays-Bas. Pour l'atteindre, il instaura le Conseil des Troubles, bientôt surnommé

par le peuple, le Tribunal du Sang. Les arrestations se succédaient, parfois au rythme de cent par jour, et on estime à 8000, le nombre de protestants exécutés. Les ducs d'Egmont et de Horne furent décapités. Personne n'était à l'abri et ne savait si le lendemain, il ne serait pas conduit à la potence ou au bûcher. On allait jusqu'à dénoncer son voisin pour s'approprier ses biens.

Mais les Gueux restaient insaisissables pour le Duc d'Albe. Ils avaient pris le maquis dans les bois (Gueux de Terre), ou s'étaient réfugiés sur des bateaux corsaires, qui écumaient les mers entre l'Angleterre, la Hollande et la Zélande (Gueux de Mer). D'autres enfin avaient rejoint Guillaume d'Orange en Allemagne, où le prince avait levé sur les bords du Rhin, une armée de 26.000 hommes.

Malgré sa duplicité, le duc d'Albe ne réussit pas non plus à s'attirer la confiance des catholiques néerlandais, qui haïssaient le tyran impitoyable, insensible au peuple et assoiffé de sang. Mais c'est surtout la réforme des impôts du régent et l'introduction de l'insupportable «dîme» qui furent très mal accueillies.

Dès 1568, les Gueux avaient entrepris des tentatives de conquête militaire des Pays-Bas. Mais après une première grande bataille près de Heiligerlee, où Louis de Nassau, frère de Guillaume d'Orange, subit une cuisante défaite, le duc d'Albe évita le plus possible les batailles, espérant ainsi réduire à l'usure l'armée mal organisée des insurgés, en butte à l'épuisement et au manque d'argent.

Mais peu à peu, les guerres de religion prenaient une dimension internationale. Les Nassau trouvèrent un appui auprès des huguenots français, qui avaient acquis une certaine influence dans leur pays, ainsi qu'auprès de certains nobles anglais et allemands.

Mais le 1er avril 1572, les Gueux de Mer s'emparaient soudain du port de La Brielle, insufflant ainsi un regain de courage aux insurgés. Les Gueux de Mer avancèrent de ville en ville, où souvent, ils étaient accueillis en libérateurs. Pourtant, ils firent eux aussi des martyrs. (En juillet 1572, 16 prêtres furent pendus haut et court à Gorcum, en dépit des ordres donnés par Guillaume.)

Mais la force militaire et le talent stratégique du Duc de Fer ne laissèrent aux insurgés que peu de répit pour goûter leur triomphe. Au bout de quelques mois, ils furent obligés de se retirer des provinces du Sud.

Pourtant dans le Nord, la résistance était plus farouche et le duc d'Albe, ainsi que son successeur Requesens (à partir de 1573), eut à subir plusieurs défaites. Bientôt, les Pays-Bas ne furent plus qu'un immense champ de bataille, en proie à la plus grande détresse humaine.

L'aide promise par la France se faisait attendre. L'armée des huguenots, mal entraînée, n'était pas de taille face aux Espagnols. Et tout espoir de soutien du côté français s'évanouit après la sanglante Nuit de la Saint Bathélemy (la nuit du 23 au 24 août 1572, au cours de laquelle plus de 20.000 huguenots furent massacrés sur instigation de la noblesse catholique).

Requesens tenta une politique d'apaisement: il supprima la dîme et le Conseil des Troubles. Mais ces mesures ne remportèrent pas l'effet escompté. La guerre, qui s'était transformée en une sorte de guérilla permanente, continuait à faire rage.

Après la mort subite de Requesens en mars 1576, les mercenaires espagnols, à court de solde, se replièrent à travers les provinces du Sud, brûlant et pillant tout ce qui se trouvait encore debout. Cette fois, même pour la tergiversante élite dirigeante de Bruxelles, la mesure était comble. Le Conseil d'Etat fut dissous et les Etats-Généraux se réunirent. Ils exigèrent le départ immédiat des troupes espagnoles.

Après le sac d'Anvers, début novembre 1576, où la soldatesque espagnole mit la ville à feu et à sang pendant trois jours, toutes les provinces du Nord se rallièrent et signèrent la Pacification de Gand: les villes et les régions reconnaissaient droit de cité à toutes les religions, sous le contrôle des dirigeants néerlandais. En théorie, tout paraissait réglé, mais il ne suffisait pas de déclarer les Espagnols ennemis communs, pour apaiser du coup les divergences religieuses. Les Espagnols quittèrent nos régions, mais ce départ ne mit fin ni aux massacres, ni aux persécutions entre les différents adversaires religieux. Les dirigeants calvinistes, entre autres à Gand et Amsterdam, se montraient tout aussi intolérants et impitoyables que les catholiques.

La joyeuse entrée de Guillaume d'Orange à Bruxelles, le 23 septembre 1577, ne remporta pas un succès unanime. Il était très aimé par le peuple, mais l'élite au pouvoir à Bruxelles, ne lui était pas favorable.

Mais en 1578, Don Juan, le nouveau régent, rappelait les troupes espagnoles avec l'intention de reconquérir les Pays-Bas. Il commença par remporter plusieurs victoires mais essuya une défaite à Rijmenam (1er août 1578), contre des Gueux flamands et brabançons.

Puis, à son tour, ce jeune régent meurt subitement, et c'est un grand homme de guerre qui lui succède: Alexandre Farnèse, duc de Parme. Très vite, cet habile diplomate remporte des succès dans les Provinces du Sud. Un groupe de nobles catholiques mécontents d'Artois, de Douai, de Lille et du Hainaut forment l'Union d'Arras chargée de négocier avec Farnèse. Cela signifiait la fin de l'unité des Pays-Bas. En réponse, les provinces du Nord formèrent l'Union d'Utrecht, à laquelle adhéraient aussi les villes de Gand, Malines, Ypres, Anvers, Lierre et Bruges.

L'Union d'Utrecht signa en 1581 l'Acte de Séparation (une véritable déclaration d'indépendance révolutionnaire qui abjurait la fidélité au roi Philippe II). Mais un retournement s'était produit dans les forces militaires en présence et au mois d'août 1585, lorsque Anvers tomba aux mains des Espagnols, après un siège long et pénible, des parties importantes du Brabant et des Flandres, dont les places fortes de la révolte, avaient été arrachées aux provinces du Nord, plus unies.

Quant à Guillaume d'Orange, déclaré hors la loi en 1580, particulièrement attaché aux provinces des Flandres et du Brabant, il ne vit pas tomber sa chère ville d'Anvers, car il avait été assassiné un an auparavant par un tireur embusqué.

Imaginées par Bob De Moor et publiées dans le quotidien flamand "Nieuws van den Dag" en mai 1950, les "Nouvelles aventures de Thyl et Lamme" donnèrent lieu à une satire pleine d'humour des fifties.

PRINTED IN BELGIUM BY
proost
INTERNATIONAL BOOK PRODUCTION